Ole durft

Tanneke Wigersma

Ole durft

AMSTERDAM · ANTWERPEN
EM. QUERIDO'S UITGEVERIJ BV
2009

Bekroond met een Vlag en Wimpel van de Griffeljury 2009

www.queridokind.nl

Eerste druk, 2008; tweede druk, 2009

Omslagillustratie Tanneke Wigersma
Omslagontwerp Studio Jan de Boer

ISBN 978 90 451 0726 4 / NUR 282

Voor Isabella,
omdat je zo dapper bent

Inhoud

Een konijn op straat

Ole doet de deur van het toilet zachtjes dicht en tipteent over de gang. Als hij ziet dat de deur van de rommelkamer openstaat, stopt hij. De kamer staat van onder tot boven vol met verhuisdozen. Op één van de dozen staat *Cara*.

Ole trekt het bruine plakband er af. De doos zit vol met jurken. Hij pakt de bovenste, een witte met rode klaprozen, eruit en ruikt. De jurk ruikt naar wasmiddel. Eén voor één trekt hij alle jurken uit de doos. Ze ruiken allemaal naar wasmiddel. Er is er geen één meer die de geur van zijn moeder heeft.

Ole loopt terug naar zijn kamer. Die is lichtblauw en pas geverfd. De kamer ruikt nieuw. Hij steekt zijn neus in de doos waar zijn winterkleren in zitten en snuift de geur op. Even is hij weer terug in het oude huis met papa én mama.

Er wordt op de deur geklopt. Ole kruipt vlug diep weg onder het dekbed en doet zijn ogen dicht. De slaapkamerdeur gaat open en daar staat Bram.

'Wakker worden.'

Wakker worden betekent opstaan en naar school gaan.

'Ole?'

Ole doet alsof hij net wakker wordt. Hij knippert met zijn ogen en gaapt luid. Doen alsof je gaapt is best lastig. Oles mond gaat niet half zo ver open als bij een echte gaap. Moe kijkt hij naar Bram, die in de deuropening staat. Zijn vader heeft een pak aan, de stropdas hangt nog los om zijn nek.

'Als je opschiet kan ik je afzetten bij school,' zegt Bram.

Ole zucht diep.

'Kom,' zegt Bram.

'Ik heb vannacht zo naar gedroomd. Er was een auto en...'

'Waarom heb je me niet wakker gemaakt?' vraagt Bram.

Ole haalt zijn schouders op.

Bram kijkt op zijn horloge zonder dat hij de tijd ziet. 'Blijf vandaag maar thuis.' Hij kijkt Ole streng aan. 'Maar je belt nog wel met oma.'

Ole knikt.

Bram kijkt weer op zijn horloge. 'Ik probeer voor het avondeten thuis te zijn.' Hij wil de deur dichttrekken, maar bedenkt zich. 'Morgen ga je wel naar school, Ole. Je kunt het niet blijven uitstellen.'

Ole zegt niks.

'Tot vanavond.' Bram trekt de deur achter zich dicht.

'Tot vanavond.'

Ole hoort Bram de trap af hollen, de sleutelbos rammelt in zijn hand. De voordeur gaat open en slaat weer dicht. Dan start Bram de auto en rijdt snel de straat uit.

Als het geluid weggestorven is, springt Ole zijn bed uit. Hij loopt de trap af naar de keuken, die half onder de grond gebouwd is. Door het raam zie je schoenen en benen voorbij lopen. Niemand bukt. Niemand ziet dat je er bent.

Op de koelkast zit een geel briefje geplakt. *Ook fruit eten!* Ole pakt een zak chips uit de voorraadkast en schudt hem leeg in een grote slakom.

Hij gaat de trap weer op, maar niet terug naar zijn eigen kamer. Hij loopt de kamer van Bram binnen. Onder het nieuwe bureau met de laptop staat een doos met strips. Hij trekt er een paar uit en neemt ze mee naar de badkamer. Daar laat hij het bad vollopen met net iets te warm water zodat de stoom de ruimte vult. Ole laat zich voorzichtig in het water zakken en pakt een strip.

Het zwarte monster glijdt kronkelend over de heuvels. Het eet paarden en hapt meisjes als haringen uit zijn klauwen. Het laat boerderijen uitbranden en trapt kastelen plat.

Maar daar komt Havikman. Hij is wit als sneeuw en zo snel als het licht van de zon. Geluidloos komt hij aanvliegen.

Het zwarte monster heeft niks door en glijdt kronkelend op twee kinderen af. De kinderen gillen. Havikman steekt zijn haviksklauw achter het oor van het monster, daar waar zijn zwarte hart zit.

Het is zo klein als een bosmuis. Havikman knijpt het hart fijn en het monster valt dood neer.

De chips zijn op en het water is koud. Ole stapt uit bad, gerimpeld en roze als een pasgeboren baby. Hij kleedt zich aan en ploft in de woonkamer op de bank. Op de televisie is een reclame over kaal worden.

Niemand wil kaal worden, want dan glim je zo in de zomer. En niemand wil een pruik dragen. Een pruik kan wegwaaien in de wind. Een pruik kan wegdrijven als je gaat zwemmen en je kunt hem vergeten op te doen.

Het is beter ervoor te zorgen dat je al je haar houdt. En daarom verkoopt een professor die veel onderzoek in het oerwoud gedaan heeft, shampoo om kaalheid te voorkomen. Door de platgedrukte bessen van de grootgroeiboom blijven haren namelijk groeien. De professor vertelt het met een rare stem die niet bij hem past.

Ole pakt de telefoon en bestelt drie flessen. Voor Bram. Zodat Bram nooit kaal wordt en altijd zijn krullen houdt.

Na de shampooreclame volgt een reclame over de raamdwerg. Dat is een beeld van klei dat met de hand beschilderd is. Het is net een tuinkabouter, maar dan voor in de vensterbank.

De meneer in het vlotte shirt vertelt dat de hele kamer er gezellig uitziet met een paar dwergen voor het raam. Hij stapt een woonkamer binnen waar er wel vier voor het raam zitten. Het lijkt net of de dwergen gezellig met elkaar aan het praten zijn.

Ole kijkt de woonkamer rond. Er staat een bank, waarvan de ene helft gebruikt wordt om de post, glazen en etensborden op te zetten en de andere helft om op te zitten. Op de grond staat de televisie en dat is het. De rest van de kamer is groot en leeg.

Dus bestelt Ole drie raamdwergen voor Bram. Blij gaat hij voor het raam staan. Waar zal hij de dwergen neerzetten? Op een rijtje naast elkaar? Of een paar in de ene vensterbank en eentje in de andere?

Ineens ziet hij buiten iets bewegen. Midden op straat loopt een konijn. Het is een wit konijn met lange, zwarte oren, zwarte poten en zwarte vlekken rond zijn ogen.

Het konijn hupt, staat stil, snuffelt en hupt weer. Ole kijkt links en rechts. Er loopt niemand op straat, maar om de hoek komt een auto aan rijden. Recht op het konijn af.

Wat zou Havikman doen? De witte vogel met het hart van een mens en de veren van een vogel.

Havikman vliegt over de stad. Dan ziet hij een konijn dat helemaal alleen op straat zit. Hij maakt een duikvlucht naar beneden en grist het konijn net op tijd voor een auto weg. De auto rijdt toeterend door. Havikman vliegt naar het park en zet het konijn op een groen grasveld vol klaver weer neer.

Ole holt de trap af, opent de deur en rent de straat op naar het konijn. De auto remt piepend tot hij vlak voor Ole en het konijn stilstaat.

Dat scheelde maar een haartje. Oles hart bonst in zijn keel.

Het autoraampje zoemt naar beneden.

'Ken je niet uitkijkuh!' schreeuwt de man boos. Hij is ook geschrokken.

Maar Ole weet dat hij het goed gedaan heeft. Hij heeft het konijn gered. Als hij een cape had gehad, dan voelde hij die nu achter zich wapperen in de wind.

De man rijdt met een boog om Ole en het konijn heen, de straat uit.

Ole gaat op zijn hurken zitten. Om het konijn niet te laten schrikken steekt hij voorzichtig zijn hand uit. Het konijn snuffelt aan zijn vinger.

'Ham-kaas,' zegt Ole.

Voorzichtig reikt hij verder en laat zijn hand boven de rug van het konijn hangen. Het konijn schrikt niet als Ole zijn zachte rug aait.

'Wat ben jij lief,' zegt Ole. 'Bijna net zo lief als de cavia die ik had.'

'Oehoe!' roept een vrouwenstem.

Ole kijkt op.

'Jongen!'

Hij kijkt om zich heen, maar er is niemand op straat.

'Oehoe!' roept de vrouw weer.

De stem komt van de overkant, uit een van de

huizen. De deur van het huis op nummer 6 is dicht, maar de klep van de brievenbus is open.

'Dat is mijn konijn,' zegt de stem. 'Zou je hem terug kunnen brengen?'

'Tuurlijk mevrouw,' roept Ole terug. Hij pakt het konijn voorzichtig op. Met zijn ene hand rond de zachte buik en de andere hand bij de achterpoten. Zo kan het konijn niet zomaar wegspringen. Het konijn spartelt, want het wil op straat lopen en kijken of er ook andere konijnen in de buurt zijn.

Ole drukt het stevig tegen zich aan en loopt naar de overkant van de straat. Naar nummer 6.

Eigenlijk zijn het precies dezelfde huizen als aan zijn kant. Met een stenen trap voor de voordeur en een keuken half onder de grond.

'Hallo?' vraagt hij als hij voor de voordeur staat. De klep van de brievenbus is dicht, maar de deur staat op een kier.

'Dat is mijn konijn,' zegt de stem. Een hand komt achter de deur tevoorschijn en pakt het konijn in zijn nekvel. De hand verdwijnt snel weer en de deur klapt dicht.

Ole opent de klep van de brievenbus. 'Alstublieft,' schreeuwt hij. Het galmt in de holle gang achter de deur.

'Dankjewel,' zegt de stem zacht.

Ole doet de klep dicht en loopt blij terug naar huis. Hij heeft een konijn gered.

Ole moet

De volgende ochtend ligt Ole met zijn armen over elkaar in bed. Hij wacht tot hij zijn vader door de gang hoort lopen. Bram klopt niet op de deur, maar komt meteen binnen.

'Goedemorgen,' zegt hij.

'Je hebt niet geklopt,' zegt Ole.

Bram loopt de gang weer op, doet de deur dicht en klopt dan kort.

'Binnen.'

'Goedemorgen,' zegt Bram.

'Het zal wel,' zegt Ole.

'De zon schijnt. Het is een goede morgen.'

Ole kijkt naar het plafond.

'Ook goedemorgen, Bram. Heb je lekker geslapen?' zegt Bram.

'Ook goedemorgen, Bram. Heb je lekker geslapen?' papegaait Ole.

Bram zucht. 'Ik heb geen tijd voor dit soort onzin.'

'Ik heb geen tijd voor dit soort onzin,' zegt Ole.

'Kom uit bed, dan breng ik je.'

'Wat voor weer is het dan? Moet ik een lange of

een korte broek aan?'

'Eh...' Bram kijkt naar buiten. 'Het is mooi weer. Kort, denk ik. Nou, schiet op.'

'Ik moet douchen.'

'Je bent gisteren toch in bad geweest?'

'Nee hoor.'

'De badkamer lag vol kruimels. Ik wil niet dat je eet terwijl je in bad zit. Dat doe je aan tafel en je komt er nú uit.'

'Ik wil niet,' zegt Ole.

Het is stil in de kamer. Bram staart naar het plafond en Ole staart naar Bram. Wat zou het fijn zijn als hij gedachten kon lezen. Wat denkt Bram nu? Vast niet aan iets leuks, want hij fronst zijn wenkbrauwen.

Ineens trekt Bram het dekbed weg en gooit het op de grond.

'En nú opstaan,' schreeuwt hij boos.

'Mama zou dat nooit doen,' schreeuwt Ole terug.

Bram loopt de kamer uit en trekt de deur met een klap achter zich dicht.

'Doei!' roept Ole.

Zo, weer een dag thuis.

Maar Oles slaapkamerdeur zwiept weer open. Bram stampt door de kamer. Hij trekt Ole uit bed tot voor de bureaustoel, waar zijn kleren overheen hangen.

'Hup, aankleden,' zegt Bram.

Ole heeft zijn vader nog nooit zo boos gezien. Brams gezicht is zo paars als bramenjam.

'Nee!' roept Ole.

'Jij gaat naar school,' gromt Bram. Hij wil Ole zijn pyjama uittrekken, maar dat gaat niet nu Ole niet meewerkt.

'Dan ga je zo naar school,' briest Bram. Hij pakt Oles schooltas, die al heel lang klaarstaat naast het bureau, en duwt Ole de kamer uit.

Alsof Bram hem in zijn pyjama naar school zou laten gaan, denkt Ole. Dat zou wat zijn. Hij ziet zichzelf al in de klas zitten in zijn pyjama met scheepjes die tegen de wind in varen. En zonder schoenen en sokken, maar op blote voeten. De juf zou hem vast zielig vinden en een extra sticker geven.

Bram loopt achter Ole de trap af en de gang door. Hij opent de deur en duwt Ole naar buiten. De zon schijnt, maar de stoep is nog koud. Het duurt even voordat steen warm wordt en Ole voelt de kou langs zijn tenen naar boven kruipen.

Bram gooit de schooltas op de achterbank van de auto.

Is Bram echt van plan hem zo naar school te laten gaan? Ole rilt. Dan lachen zijn nieuwe klasgenoten hem allemaal uit. En wat zal de nieuwe juf wel niet zeggen? Die denkt dat Bram gek is. Bram is niet gek, maar gewoon boos. Heel erg boos.

'Wacht,' zegt Ole. 'Ik doe mijn kleren aan.'

Hij rent naar binnen, de trap op naar zijn kamer. Hij trekt zijn pyjama uit en zijn kleren aan.

Mama zou kleren voor hem klaargelegd hebben. Terwijl hij zich aangekleed had, had zij mama-ei voor op brood gemaakt. Ze had hem de eerste dag achter op de fiets naar school gebracht. Dan hadden haar haren in zijn gezicht gekriebeld.

Stel dat hij had kunnen kiezen tussen zijn vader en zijn moeder... Dan was Bram nu dood.

Ole schudt hard zijn hoofd. Zoiets mag hij niet denken. Als hij Havikman geweest was, had hij mama gered. Dan was alles nog zoals het was.

Hij loopt naar beneden. Buiten staat Bram met zijn sleutels te rammelen.

'Ik loop zelf,' zegt Ole.

'Waarom?' vraagt Bram.

'Omdat ik jou stom vind!'

'Lopen dan! Je weet waar het is,' roept Bram. Hij gaat in de auto zitten. In plaats van dat hij wegscheurt naar zijn werk, rijdt hij net zo langzaam als Ole loopt, richting school. Stapje voor stapje. Snel gaat het niet.

Het autoraampje zoemt naar beneden.

'Schiet eens op!'

Ik ben zo snel als Havikman, denkt Ole. Maar hij moet zijn kracht sparen voor een noodsituatie en dit is geen noodsituatie.

'Zo loop ik altijd,' zegt Ole.

Bram gromt wat. Ole kan het niet verstaan. Hij slentert verder. Hoek om, straat uit. Zijn nieuwe school is dicht bij hun nieuwe huis.

Als Ole bij het hek van school staat, kijkt hij om. Bram toetert en zwaait blij.

'Veel plezier,' roept Bram.

Ole tilt even zijn hand op.
'Tot straks!' En dan rijdt Bram snel weg.
Ole loopt door het open hek. Maar in plaats van het schoolplein op te lopen, duikt hij in de struiken achter het hek. Hij gluurt door de bladeren naar de school. Er lopen kinderen door het klaslokaal met vellen papier en kwasten in hun hand.
'Bwleuch, verven,' zegt Ole.
Hij gaat op zijn hurken zitten en breekt een tak af.
Bram is stom schrijft hij in het zand.
Een merel komt aanhippen en kijkt wat Ole aan het doen is.
'Heb je een worm?' vragen zijn kraaloogjes.
Ole veegt alles weer uit.
Dan niet, denkt de merel en hipt verder.
Ole kruipt onder de struik vandaan zonder dat iemand van school het ziet en loopt weer naar huis.

Rosa

Ole pakt de bakjes chinees van de vorige avond en de pasta van de avond daarvoor. Hij gooit de inhoud in een diep bord, roert het goed door elkaar en warmt het op in de magnetron. Met het allesdoor-elkaar-heeneten loopt hij naar de woonkamer en ploft neer op de bank.

Op de telefoon zit een geel briefje geplakt. *Oma bellen* staat er op. Hij pakt de telefoon en toetst een nummer in dat lijkt op dat van oma. De telefoon aan de andere kant gaat wel zeven keer over voor er opgenomen wordt.

'Kruisboer,' zegt een man hijgend.

'Met Bram Jansen,' zegt Ole met een volle mond. 'Ik lees hier in de krant dat u een olifant te koop heeft. Klopt dat?'

'Een olifant?' vraagt de man. 'Nee.'

'O, jammer,' zegt Ole, 'dan eten we vanavond maar kip.'

'Is dit een grap? Wie ben jij?' moppert de man.

'Olifant is heel lekker hoor,' zegt Ole.

'Loop naar de maan,' moppert de man.

Ole rolt bijna van de bank af van het lachen.

Als hij uitgelachen is, draait hij een ander nummer. Hij weet al wat hij zal zeggen, dit is zijn favoriete telefoongrap.

'Met Nel Engel.'

'Help mij,' zegt Ole bang.

'Met wie spreek ik?' vraagt de vrouw.

'Ik ben opgesloten door mijn vader. Ik wil naar school, maar ik mag niet.'

'O,' zegt de vrouw.

'Mijn vader doet elke dag de deur op slot.'

'Echt waar?' vraagt de vrouw aan de andere kant.

'Ja,' zegt Ole. 'Ik zit opgesloten in mijn kamer.'

'Waar zijn je ouders?'

'Mijn moeder is weggelopen. Mijn vader heeft brood achtergelaten. En als hij thuiskomt, mag ik naar de wc.'

'Heb je broers en zussen?'

'Weet ik niet. Ik hoor wel eens iemand beneden, maar ik weet niet wie dat is.'

'Hoe lang zit je daar al?'

'Sinds mijn moeder weg is gegaan. Het was koud buiten.'

'Bel de politie,' zegt de vrouw.

Ole doet alsof hij huilt. 'Dat durf ik niet.'

'Je moet nog even volhouden,' zegt de vrouw zenuwachtig. 'Ik heb je nummer nu, en ik zal de politie wel bellen.'

'Snif,' doet Ole.

'Het is goed dat je gebeld hebt. Je bent heel dapper,' zegt de vrouw.

'Grapje!' roept Ole.
Aan de andere kant is het even stil.
Ole giechelt.
'Dit is helemaal niet leuk!' roept de vrouw, en ze verbreekt de verbinding.
Ineens stopt Ole met lachen. De vrouw zei dat ze zijn nummer wist. Straks stuurt ze alsnog de politie op hem af.
Hij gaat voor het raam staan. Er is niemand op straat. Iedereen is naar werk, of naar school.
Van onder een geparkeerde auto komt een konijn tevoorschijn. Het is hetzelfde konijn als de vorige dag.
'Leuk!' roept Ole.
Hij rent naar beneden en doet de voordeur open. Het konijn loopt niet weg als Ole naast hem gaat zitten.
'Ben je weer ontsnapt?' vraagt Ole en hij aait zijn zachte, gladde vacht.
Het konijn niest.
'Ben je verkouden?'
Ole pakt hem op. Het konijn spartelt niet.
'Wij kennen elkaar, hè?'
Ole loopt naar de overkant en belt aan bij nummer 6. Het duurt even voordat de klep van de brievenbus opengaat.
'Hallo?' vraagt de vrouwenstem.
Ole buigt voorover naar de klep en hij houdt het konijn voor de brievenbus. 'Uw konijn liep weer op straat.'

'O!' roept de vrouwstem uit. 'De stouterd!'

De klep valt dicht en de deur gaat op een kier. Twee handen pakken het konijn en de deur gaat snel weer dicht.

Ole opent de klep. 'Alstublieft hoor!' gilt hij erdoorheen. Hij laat de klep vallen en hupt het trapje af. Havikman had dit niet sneller kunnen doen.

'Hé!' roept de vrouwenstem.

Ole staat stil op de stoep. Hij draait zich om.

'Jongen?'

Ole loopt het trapje weer op.

'Ik heet Ole,' zegt hij door de open brievenbus.

'Mooie naam,' zegt de stem. 'Ik heet Rosa, eigenlijk Rosalida.'

'Ook mooi,' zegt Ole.

'Eh...Ik wil je wat vragen,' zegt Rosa. 'Kan dat?'

'Ja?'

'Mijn konijn heet Frits.'

'Grappig,' zegt Ole.

'Maar hij niest,' zegt Rosa.

'Ja. Hij moet naar de dierenarts,' zegt Ole. 'Mijn cavia had dat ook.'

'Hoe heette jouw cavia?'

'Pim. Mijn beste vriend heette ook Pim.'

'Zie je Pim niet meer?'

'Pim is dood,' legt Ole uit. 'De dierenarts zei dat we eerder hadden moeten komen.'

Rosa lacht. 'En je beste vriend?'

'Die woont nog waar ik vroeger woonde,' zegt Ole. 'We wonen hier nog maar pas.'

'Dat weet ik,' zegt de vrouw. 'Ik heb je zien fietsen met je vader.'

'Ik heb u nog niet gezien.'

Er vliegt een merel langs met takjes in zijn bek. Hij is op weg naar een goede boom om een nest in te bouwen.

'Ik kan niet naar buiten,' zegt Rosa zacht.

'Waarom niet?'

'Dat is privé,' zegt Rosa.

'Hoezo?' vraagt Ole.

'Eh...gewoon,' zegt Rosa. 'Daarom.'

'O.'

'Zou jij met Frits naar de dierenarts willen gaan, misschien? Voor mij?' vraagt Rosa.

Ole wipt van het ene been op het andere. 'Heb je geen man?'

'Nee.'

'Familie dan?'

'Mijn ene dochter woont in Australië. De andere in Nieuw-Zeeland.'

'Dat is heel ver weg, toch?'

Rosa zucht. 'Dat is heel ver weg.'

'Heeft u geen vrienden?'

'Die wonen buitenaf.'

Ole grijnst.

Havikman cirkelt boven de stad. Uit een huis hangt een huilende mevrouw. In haar armen houdt ze een konijn dat niest. Er is niemand die haar helpen kan. Haar dochters wonen ver, ver weg en al haar vrienden ook. De vrouw is bang dat het konijn doodgaat.

Havikman vliegt dichterbij. Hij neemt de vrouw en het konijn in zijn vleugels en vliegt als een bliksemschicht naar de dierenarts.

'Ik wil wel...' zegt Ole.

Rosa zucht. 'Fijn.'

'Maar ik weet niet waar de dierenarts zit,' zegt Ole. 'Ik woon hier nog maar net.'

'Hier aan het eind links, de hoek om. In de volgende straat is een huis met een groene deur. Als hij daar nog zit. Ik ben er al lang niet meer geweest. Moet jij trouwens niet naar school?' vraagt Rosa.

'Ik heb vrij,' zegt Ole.

Met Frits naar Spico

De deur gaat op een kier en er wordt een kartonnen doos naar buiten geduwd. Ole opent de doos voorzichtig. Frits zit helemaal in een hoek. Met grote ogen kijkt hij naar boven en niest Ole in zijn gezicht.

'Dankjewel, Frits,' zegt Ole.

Frits niest weer, zo hard dat zijn lange oren ervan wiebelen.

'Daar gaan we dan,' zegt Ole. Hij doet de doos weer dicht en pakt hem op. Frits schiet van de ene kant naar de andere. Ole drukt de doos stevig tegen zich aan.

'Rustig maar.'

Hij loopt de trap af, de straat uit en gaat de hoek om. Er is maar één huis met een groene deur. Naast de deur hangt een koperen bord met daarop: *Spico Wilg, dierenarts*.

Ole belt aan. Het blijft stil achter de deur.

'Misschien is hij niet thuis, Frits.'

Ole belt nog een keer, nu langer. Achter de deur klinkt gestommel op de trap. Iemand rent naar beneden.

De deur zwaait open en er verschijnt een ongeschoren man in een ochtendjas.

'Aan de deur wordt niet gekocht,' zegt de man en hij gooit de deur weer dicht.

Frits springt van schrik omhoog. Ole heeft moeite de doos recht te houden.

Hij belt nog een keer. Meteen zwaait de deur weer open. De man was nog niet naar boven gelopen.

'Wat!'

'Frits is ziek,' zegt Ole snel. Hij houdt de doos onder de neus van de dierenarts.

'O? Hm,' zegt de dierenarts en krabt zich tussen zijn stoppels. 'Ik dacht dat je zo'n kind was met van die zelfgeknutselde dingen.' Hij opent de doos en kijkt. Frits springt van hoek naar hoek. 'Het is een konijn. Wat een leuke.'

Frits niest.

'Aha, verkouden. Het spreekuur is vanavond,' zegt de dierenarts en hij wil de deur dichtdoen.

'Maar...' zegt Ole.

'Ja?'

'Hij is niet van mij. Hij is van mijn overbuurvrouw. Ze kan niet naar buiten.'

De dierenarts krabt zich en gaapt. 'En?'

'Ik moet straks naar school,' zegt Ole. 'En vanavond gaan we naar mijn oma.'

'Hm,' bromt de dierenarts. Hij kijkt nog eens in de doos.

Frits niest zo hard dat hij er even van omhoog schiet.

'Vooruit. Kom binnen,' zegt de dierenarts.

Ole loopt achter hem aan, door de gang naar de spreekkamer. Het ruikt er naar het ziekenhuis, en natte hond. Hij zet de doos op de onderzoekstafel.

De dierenarts wil Frits pakken, maar dat wil Frits niet. Hij sjeest heen en weer in de doos en botst tegen de wanden op.

'Pak jij hem even?' vraagt de dierenarts.

'Tuurlijk.' Hij drijft Frits in een hoek, pakt hem op en zet hem op tafel. Ole kan alles.

De dierenarts luistert naar het hart en de longen van Frits. Ook bekijkt hij zijn keel en oren.

'Komt het wel goed?' vraagt Ole.

De dierenarts knikt. 'Een kleine konijnenverkoudheid. Heeft hij op de tocht gestaan?'

'Hij was ontsnapt.'

De dierenarts knikt. 'Konijnen ontsnappen.'

Ole zet Frits terug in de doos. De dierenarts geeft hem een potje met pillen.

'Elke dag twee. Over een week terugkomen en dan kun je ook betalen.'

'Goed meneer,' zegt Ole.

'Spico,' zegt de dierenarts.

'Rare naam.'

'Hoe heet jij?' vraagt Spico.

'Ole,' zegt Ole.

'Ook raar,' zegt Spico. 'Heb je zelf ook huisdieren?'

Ole pakt de doos goed vast. Ze lopen de spreekkamer uit, de gang in.

'Mag niet van mijn vader.'

'Dan moet je je moeder maar eens lief aankijken.'

'Mijn moeder is eh... op reis.'

Spico knikt. 'Konijnen ontsnappen. Moeders gaan op reis.' Hij opent de deur en laat Ole en Frits uit. 'Tot volgende week.'

'Daag.'

Ole loopt de straat uit.

Frits was bijna dood geweest. Trillend en rillend lag hij in de vleugels van Havikman.

'Je komt net op tijd,' had de dierenarts tegen Havikman gezegd en hij gaf Frits een pil. Frits slikte de pil, stopte met niezen en keek dankbaar op naar Havikman.

Ole belt aan bij Rosa. Het duurt even voordat de klep van de brievenbus opengaat.

'Ben jij dat? Ole?'

'Dat ging snel, hè?' Ole bukt en zet de doos neer voor de deur. 'Hier is Frits.'

De klep gaat dicht en de deur gaat op een kier. Twee handen trekken de doos naar binnen en de deur gaat meteen weer dicht.

'Is alles goed?' vraagt Rosa door de brievenbus.

'Hij is verkouden,' zegt Ole. 'De pillen zitten in de doos. Elke dag twee en je mag betalen als je over een week voor controle komt.'

'Controle?'

'Ja,' zegt Ole. 'Dan ben je vast beter.'
'Ik ben niet ziek,' zegt Rosa.
'O?'
Een merel vliegt over en poept vlak naast de schoen van Ole. Maar Ole heeft het niet door.
'Wat dan?' vraagt hij. 'Kun je niet lopen?'
'Ik kan wel lopen.'
'Zit je onder de pukkels?' Ole kijkt nieuwsgierig naar binnen, maar achter de klep is het aardedonker.
'Nee.'
'Ben je dik? Pas je niet door de deur?'
Rosa giechelt. 'Ik pas wel door de deur.'
'Zie je er gek uit?'
'Volgens mij niet.'
'Wat dan?'
'Ik ben een beetje, nou ja, verlegen.'
'Verlegen is niet zo erg,' zegt Ole.
'Soms wel, want daardoor durf ik niet naar buiten.'
'Dat is raar,' zegt Ole.
'Durf jij alles dan?' vraagt Rosa.
'Ja,' zegt Ole. 'Ik was in de dierentuin en toen durfde ik een olifant sla te geven. De anderen niet. Ik heb ook nog zijn slurf geaaid.'
'Dat is dapper,' zucht Rosa. 'Vroeger durfde ik ook alles, maar dat is lang geleden.'
'Zit je dan de hele dag binnen?'
'Ik heb een tuin,' zegt Rosa.
'Zit je de hele dag in de tuin?!'

'Eh...' zegt Rosa. 'Eigenlijk zit ik niet in de tuin. Ik ben bang dat de buurvrouw me ziet. Maar Frits wel. Ik denk dat er ergens een gat zit, waardoor hij kan ontsnappen.'

'Dan moet je dat maken.'

'Ja,' zegt Rosa. 'Dat moet ik nu eigenlijk gaan doen. Eh... Zou jij volgende week met Frits naar de controle willen?'

'Ja hoor,' zegt Ole.

'Tot volgende week,' zegt Rosa en ze laat de brievenbusklep vallen.

'Daag,' roept Ole.

Hij springt in een keer van bovenaan het trapje naar beneden en rent half vliegend naar de overkant.

Op ziekenbezoek

Bram klopt op de deur van Oles kamer. 'Opstaan!'
Maar Ole heeft iets bedacht. Hij niest.
'Tijd om naar school te gaan,' zegt Bram en hij klopt nog een keer.
Ole niest harder, wat nog moeilijker is als nepgapen.
Bram opent de deur. 'Ole?'
Ole niest weer.
'Ja, ja,' zegt Bram. 'Hup, je bed uit.'
'Ik voel me niet goed,' zucht Ole. Het is misschien beter het nog wat erger te maken. Hij begint ook te hoesten.
Bram legt zijn hand op zijn hoofd.
'Je bent warm,' zegt Bram.
Dat klopt. Ole heeft voor Bram kwam flink over zijn gezicht liggen wrijven.
'Hm,' zegt Bram en hij ijsbeert door de kamer. 'Je bent echt ziek.'
Ole hoest.
'Het is beter als je in bed blijft,' zegt Bram. 'Zal ik thuisblijven?'
Ole schudt zijn hoofd. 'Ik red me wel.'

'Ik blijf thuis,' zegt Bram.

'Dat hoeft echt niet,' zegt Ole. 'Ik ben bijna tien.'

'Wacht even.' Bram pakt zijn mobiel.

'Met Bram.'

Ole kan niet horen wat er wordt gezegd.

'Heb ik veel afspraken voor vandaag? Nee... Ja, dat was gisteren ook zo. Een heksenketel. Ja... Nee, dat is nog niet af... Dat was wel de bedoeling ja... Nee. Het contract? O, ja... Niet slim... Goed. Doe ik.'

Bram zet zijn mobiel uit. 'Ik moet gaan. Maar ik bel elk uur. En ik vraag of oma jou belt. Ze wil je heel graag weer eens horen.' Hij wroet met zijn handen door zijn pasgekamde haren. Nu zit het weer in de war. 'Pfoe. Gedoe altijd.'

'Je komt te laat,' zegt Ole.

Bram knikt. 'Ik bel. Heel vaak. Dag kereltje.' Bram geeft hem een kus op zijn hoofd en loopt de kamer uit.

Ole hoest nog een keer flink, maar Bram kan het niet meer horen. Bram is al weg.

Ole springt uit bed en kleedt zich aan. Vanochtend heeft hij iets bedacht. Hij gaat bij Frits op ziekenbezoek. En als je op ziekenbezoek gaat, dan neem je iets mee.

Helaas is de groentela leeg. Er ligt alleen een banaan in, maar Ole weet niet of konijnen daar wel van houden. En deze banaan heeft nog bruine vlekjes ook.

De voorraadkast staat vol potten. Bruine bonen, ravioli, maïs.

Het is niet precies wat hij zoekt, maar uiteindelijk vindt hij een pot die hij mee kan nemen.

Ole steekt de straat over en belt aan bij nummer 6. Als Rosa niet reageert, opent hij de brievenbus en roept haar naam. 'Rosa?!'

Na een paar keer roepen hoort hij het sloffende geluid van pantoffels in de gang.

'Wie is daar?'

'Ik ben het.'

'Dat dacht ik al,' zegt Rosa. Ze klinkt niet blij.

'Ik kom op ziekenbezoek.'

'Eh... hoe bedoel je?'

Ole houdt een potje met worteltjes omhoog. 'Ik heb iets voor Frits meegenomen.'

Rosa begint te lachen. Ze lacht heel hoog en met hikjes. Het klinkt net als de cavia die Ole vroeger had. Als Pim het ritselen van een zak hoorde en dacht dat hij sla kreeg, dan begon hij ook zo hoog te piepen.

'Konijnen eten verse wortels,' giechelt Rosa.

'We hadden alleen deze,' zegt Ole. Hij gaat rechtop staan en wacht tot de deur opengaat.

Maar dat gebeurt niet.

Ole bukt zich weer. 'Waarom doe je niet open?'

'Dat kan niet,' zegt Rosa.

'Waarom niet?'

'Daarom niet.'

'Daarom is geen reden, als je van de trap af valt...'

'Dan ben je snel beneden,' gaat Rosa verder. 'Ja, ja.'

'Even maar,' zegt Ole.
'Het kan niet.'
'Ik wil Frits zien. Hoe gaat het met hem?' Eigenlijk is hij vooral benieuwd naar hoe Rosa eruitziet.
De klep valt dicht.
'Rosa?'
'Oké,' zegt ze zacht.
Ole wacht. Het lijkt een eeuwigheid te duren, maar dan gaat de deur open. Iets verder dan een kier. Achter de deur staat een oude vrouw. Haar haar is grijs en opgestoken.
Rosa doet de deur iets verder open. Ze heeft een joggingpak aan met daaronder pluizige roze sloffen.
Er is niks raars aan haar te zien. Ze heeft geen grote neus of rare vlekken in haar gezicht. Ze is niet lang, eerder klein, maar wel normaal klein. Ze heeft geen bochel en maar één hoofd.
Als ze op straat zou lopen, zou ze niet opvallen. Tenminste als ze die sloffen dan niet aan had.
'Daag.' Rosa lacht een klein beetje.
'Hoi.'
Ole wil naar binnen stappen. Hij doet een stap naar voren en ineens gooit Rosa de deur dicht. Ole kan nog net op tijd achteruit springen, maar hij moet zich vastgrijpen aan de trapleuning om niet te vallen.
'Hé!' roept hij boos.
De klep van de brievenbus gaat open. 'Sorry.' De klep gaat weer dicht.
'Ik kreeg bijna die deur tegen mijn kop!' roept

Ole. Hij opent de klep. 'Ik zei dat ik bijna die deur tegen mijn kop kreeg.'

Geen antwoord.

'Rosa!'

Ole probeert door de brievenbus te kijken, maar het is te donker. Hij kleppert met de brievenbus. Het blijft stil.

'Je hoeft voor mij toch niet bang te zijn,' roept Ole.

Rosa geeft geen antwoord. Ole weet niet of er nog iemand in de gang staat, zo stil is het.

'Dan niet,' zegt Ole en hij loopt weg. De pot met worteltjes laat hij op de stoep staan.

Midden in de nacht

Ole schopt zijn dekbed van zich af en springt uit bed. Hij heeft zin in een beker chocolademelk.

De deur van de keuken is open. Bram staat tegen het aanrecht aan geleund met zijn gezicht in zijn handen. Hij huilt.

Ole draait zich om en wil heel zachtjes de trap weer op lopen.

'Ole?'

'Ja?'

'Kom eens.'

Ole loopt naar Bram. Bram drukt hem zo stevig tegen zich aan, dat hij bijna geen lucht meer krijgt.

'Kon je niet slapen?'

'Nee.'

'Ik hou van jou.'

'Ik ook van jou.'

'Meer dan van patat met,' zeggen ze tegelijk.

Bram laat Ole los. Hij veegt zijn tranen weg en lacht.

'Zal ik warme chocolademelk maken?'

'Echte,' zegt Ole. 'Met een pannetje en met cacao.'

Hij gaat aan de keukentafel zitten. Bram rommelt in de keukenkast op zoek naar een pannetje.

'Trek je wel even iets aan?' zegt Bram. 'Je hoest niet meer, hè?' Hij zet twee mokken op het aanrecht.

Ole kucht wat. ''s Ochtends is het het ergst,' zegt hij. Hij wikkelt zich in de trui van Bram die over de stoel hangt.

'Hm,' zegt Bram.

'Zullen we een spelletje doen?' vraagt Ole.

'Goed.'

'Stratego?'

'Dammen?'

'Zeeslag?'

'Oké.'

Ole de redder

Havikman hoort gesnik. Hij vliegt door het open raam naar binnen en daar op de bank zit Rosa. Ze snikt in een zakdoek met bloemetjes.

'Wie ben jij?' vraagt ze geschrokken als ze Havikman ziet.

'Ik kom je redden,' zegt Havikman en hij neemt Rosa in zijn vleugels.

'Wat ga je doen?' roept Rosa uit.

'Wees maar niet bang,' zegt Havikman en hij geeft haar een knipoog, 'want ik ben Havikman.'

Ze vliegen over de stad en iedereen zwaait. Rosa zwaait terug als een koningin en glimlacht naar alle mensen.

'Wat is het gezellig buiten,' zegt Rosa.

'Waar zal ik je naartoe vliegen?'

'Naar de markt.'

Havikman vliegt over de stad en strijkt neer op de markt. Ze kopen kaas en groente en zoeken samen een grote bos bloemen uit.

Havikman neemt Rosa weer in zijn vleugels en zet haar voor haar huis neer op de stoep.

'Dankjewel,' zegt Rosa. Ze geeft hem een zoen op zijn veren.

Ole zucht. Hij wil Rosa helpen, maar hij kan niet vliegen. En hij moet eerst nog zorgen dat hij thuis mag blijven vandaag!

Dus er zijn twee dingen die ik op moet lossen, denkt Ole. Misschien kunnen we fietsen in plaats van vliegen.

Ole zucht weer. Hij kent de stad nog helemaal niet. De eerste dag is hij met Bram langs de school gefietst, langs het park en langs de afhaalchinees.

Chinees! denkt Ole. Hij krijgt ineens een grandioos idee voor het oplossen van het eerste probleem en tipteent naar de keuken. Bram mag niet wakker worden. Hij maakt een kom met pap. De pap is vloeibaar, maar nog wel drabberig. Hij pakt wat slierten bami van de vorige avond en roert die door de pap. Het ziet eruit als pap met bami.

'Nog niet goed,' mompelt Ole.

Hij schenkt er nog wat grapefruitsap bij en nu lijkt het net kots. Zo ziet je maaginhoud er vast uit na chinees eten.

Hij neemt de kom mee naar boven.

Het toilet is tegenover de slaapkamer van Bram. 'Pap?' roept hij zielig.

Als hij Bram stommelend op hoort staan, maakt hij braakgeluiden boven de toiletpot. Het geeft een mooie galm. Hij giet de nepkots in de pot en schuift de kom weg onder een stapel tijdschriften. Met zijn vinger haalt hij nog een lik uit de smurrie en smeert die uit bij zijn mondhoeken.

Bram komt de wc binnen. Hij kijkt naar Ole die

op de grond zit en werpt een blik in de pot.

'Ach, mannetje toch.'

Hij spoelt door en loodst Ole terug naar bed. Met een nat washandje veegt hij de resten kotspap weg. Hij zet een glas water en een teiltje naast Oles bed.

'Ik heb zo een vergadering, maar daarna kom ik naar huis. Ik neem gewoon vrij.'

'Dan kunnen we spelletjes doen en dan ga ik met een slaapzak op de bank. Zoals vroeger,' zegt Ole.

'Ik moet nog wel wat werken.' Bram wrijft met zijn handen over zijn gezicht. 'Volgens mij eet jij te weinig fruit. Ik zal onderweg wat kopen.'

'Doe maar een peer en een appel,' zegt Ole.

'Goed. Ik ga me scheren,' zegt Bram en hij loopt naar de badkamer.

'Of aardbeien!' roept Ole. 'Die zijn ook lekker!'

Ole zakt blij weg in zijn kussen. Het is hem weer gelukt. Nu moet hij alleen nog iets bedenken om Rosa te redden. Hij kan haar natuurlijk niet zomaar naar buiten sleuren. Ze is vast sterker dan hij.

Als hij nou wist wat ze heel erg lekker vindt, dan zou hij haar dat kunnen geven als beloning. Een taart bijvoorbeeld.

Maar Ole weet niet wat Rosa lekker vindt. Eigenlijk weet hij niks van haar. Behalve dat ze een konijn heeft dat Frits heet en dat ze bang is. En dat ze roze sloffen heeft.

Bram komt weer binnen. Hij geeft Ole een geschoren kus op zijn wang.

'Ik kom meteen na de vergadering thuis.'

'Maar eerst koop je fruit.'

'Ik koop eerst fruit en daarna kom ik naar huis.'

'Dag pap.'

'Dag Ole.'

Bram gaat naar beneden. Ole staat op en trekt zijn kleren aan. Terwijl Bram wegrijdt, huppelt Ole de trap af, de deur uit naar de overkant. Hij belt aan bij Rosa, maar Rosa komt niet naar de deur.

Wacht maar, denkt Ole. Hij zet zijn vinger op de bel en laat niet meer los. Het geluid galmt door de gang. Zelfs de merels in de boom vliegen op.

'Ik bel net zo lang tot je opendoet,' roept Ole door de klep, want hij gaat Rosa redden, of ze nu wil of niet.

Hij drukt weer stevig op de bel. Het topje van zijn vinger wordt helemaal wit. Door het harde gebel hoort hij de sloffen van Rosa niet. De brievenbusklep schiet open.

'Hou daar mee op!' schreeuwt Rosa.

Ole laat de bel los.

'Ga iemand anders pesten,' schreeuwt Rosa.

'Ik kom je helpen,' zegt Ole.

'Helpen? Door keihard op de bel te drukken? Ik heb geen hulp nodig.' Rosa laat de klep vallen.

Ole doet hem weer open. 'Nee?'

'Nee!'

'Je durft niet eens de straat op.'

'Nou en? Laat me met rust.'

'Je moet een keer naar buiten.'

'Waarom? Niemand kan me helpen,' zegt Rosa.

'Ik wel. Ik kan je helpen.'

'Hoe dan?'

'We kunnen naar het park gaan. Dat is toch niet eng?'

'Dat is wel eng!'

Hm, denkt Ole. Als ze dat al eng vindt.

'Ik durf de straat niet op.'

'Dan beginnen we met het trapje voor je huis,' zegt Ole. 'We gaan naar beneden tot aan de straat. Om te oefenen.'

Rosa zegt niks. Ole denkt na. Het is stil op straat. Alleen een merel die is teruggekeerd, fluit zijn boomlied. Alle vogels moeten weten dat het zijn boom is en dat ze er met hun poten uit moeten blijven.

'En morgen gaan we iets verder. Rosa?'

'Ik moet erover nadenken,' zucht Rosa. 'Kom morgen maar terug.'

'Als we nu niet oefenen, kun je volgende week niet naar de dierenarts.'

Rosa lacht zenuwachtig. 'Naar de dierenarts? Dat kan niet. Dat kan echt niet.'

'Ik ben erbij,' zegt Ole. Jammer dat hij geen cape heeft. 'En als het toch niet lukt, kun je altijd terug.'

'Oké,' zegt Rosa. 'We doen eerst het trapje. Nou, tot morgen.'

'We beginnen vandaag,' zegt Ole streng.

'De was moet nog uit de machine,' zegt Rosa, 'en er staat theewater op. Ik moet nog strijken. En ik moet Frits borstelen. Weet je dat hij al minder niest?'

'Niet zeuren,' roept Ole door de brievenbus.

'Ik ben niet gekleed om naar buiten te gaan.'

'Trek dan iets anders aan. Ik wacht wel.'

'Heb je daar tijd voor?'

'Ja hoor,' zegt Ole.

'Alleen het trapje?'

'Alleen het trapje.'

Ole hoort Rosa door de gang rennen. Hij laat de klep los en gaat op de treden zitten.

De tas van Rosa

Eindelijk gaat de deur open en daar in de donkere gang staat Rosa. Ze draagt een lange jas over een bloemetjesjurk en schoenen met hakken in plaats van sloffen. In haar linkerhand houdt ze een paraplu.

'Die heb je niet nodig,' zegt Ole en hij wijst naar de paraplu.

Rosa luistert niet. Ze steekt haar vinger in de lucht, ineens bedenkt ze iets. 'Ik ben de pepermuntjes vergeten.' Weg is ze.

Ole kan nu eindelijk zien hoe het er binnen uitziet. Het is een donkere gang met een grote ladekast met bovenop allemaal beeldjes van dieren, een kapstok vol jassen, hoeden en tassen en aan de muur hangt een schilderij met jachthonden erop. Op de vloer ligt een lang, donker tapijt. Naast de deur staat een paraplubak en er hangt een hondenriem.

Rosa komt terug met een rol pepermunt. Ze steekt hem triomfantelijk in de lucht. 'Daar is de pepermunt. Ik heb nog een hele doos vol.' Ze pakt een handtas van de kapstok en daar stopt ze de rol in. 'Daar ga je.'

'Klaar?'

Rosa kijkt in haar tas en fronst haar wenkbrauwen. 'Ik heb geen zakdoek bij me.'

'Die heb je toch niet nodig?' Ole veegt zijn neus altijd af aan zijn mouw. Als hij zijn neus al afveegt.

Maar Rosa loopt de trap op.

Ole stapt de gang in en gaat voor het schilderij met de honden staan. Eén van de honden heeft een fazant in zijn bek. De andere hond staat met een poot omhoog en zijn staart recht naar achteren, wat er vreemd uitziet.

Rosa komt de trap af lopen. 'Gevonden,' zegt ze. Ze zwaait met de zakdoek alsof het een vredesvlag is.

'Goed,' zegt Ole. 'Dan kunnen we gaan.'

Maar Rosa schudt haar hoofd. 'Ik heb geen buskaart.'

Buskaart? Ole schiet bijna in de lach, maar hij houdt zich in.

Rosa is een deur doorgegaan aan het eind van de gang. Het duurt niet lang of ze komt weer terug en wappert met een strippenkaart.

Ole bekijkt hem. 'Die is niet meer geldig.'

'O,' zegt Rosa, maar ze stopt hem toch in haar tas. 'Pepermunt, een zakdoek, een buskaart. Er zit nog een schaartje in. Een pleister, een vishaak en een stukje touw. Want je weet maar nooit. Hé, ik heb geen drinken bij me!'

'Maar Rosa...' zegt Ole.

Weg is Rosa weer. Ze is verdwenen achter de deur

aan het eind van de gang.

'We lopen alleen het trapje op en af!' roept Ole.

Rosa komt terug met twee pakjes appelsap.

'Eén voor jou en één voor mij,' zegt ze. 'Het is niet mijn lievelingsmerk. Maar ja, als ze je boodschappen komen brengen, weet je nooit wat je krijgt.'

Rosa probeert de pakjes in haar handtas te stoppen, maar die zit vol.

'Ik moet een grotere tas.'

Voor Rosa weg kan lopen, heeft Ole haar arm gepakt.

'We gaan nu,' zegt hij en hij trekt Rosa zachtjes naar de deur.

'Niet doen,' zegt Rosa. Ze schudt haar arm los.

'Loop dan.'

Rosa haalt diep adem. 'Alleen het trapje op en af?'

'Alleen het trapje.'

'Stel dat er iemand kijkt.'

Ole kijkt naar buiten. 'Er is niemand.'

'Je liegt niet?'

'Nee.'

Rosa haalt weer diep adem. Ze doet een stap naar voren. Nu staat haar ene voet op de drempel en de andere staat nog in de gang.

'Heel goed.'

Rosa gaat met beide voeten op de drempel staan.

'Oeh,' zegt ze.

In de verte loopt een man met een boodschappentas. Rosa draait zich om om naar binnen te rennen,

maar Ole pakt haar hand.
'Niet bang zijn.'
Rosa kijkt angstig om zich heen. Ze doet een stap en nog één en ineens maakt ze een sprong. Ze springt in één keer naar beneden en landt op de straat.
'Hé,' zegt Ole verbaasd.
Rosa draait zich met een ruk om. Ze springt weer over de treden, maar nu naar boven. Ze duikt zo langs Ole de gang in en gaat achter de deur staan.
'Zo,' zegt ze.
Ole giechelt.
Rosa veegt het zweet van haar voorhoofd met haar zakdoek. 'Ik heb het gedaan,' zegt ze. 'Tot morgen.'
Ze doet de deur met een klap dicht.
Ole opent de klep van de brievenbus. 'Morgen gaan we tot de boom. Twee keer zo langzaam.'
'Ik was goed, hè?' vraagt Rosa.
'Super.'

Juf belt

De telefoon gaat net op het moment dat Ole naar Rosa wil gaan.

Ole neemt op en hoest. 'Uche uch. Dag pap.'

'Met mevrouw Van de Sande, van basisschool De Flipper. Spreek ik met Ole?'

Ole schrikt.

'Hallo?'

'Met Ole. Ik dacht dat u mijn vader was.'

'Ben je alleen thuis?'

'Gisteren niet. Vandaag moest hij weer naar zijn werk. Ik lig toch maar in bed omdat ik ziek ben,' zegt Ole.

'Wat naar.'

'Ja.'

'Ik heb me nog niet eens helemaal voorgesteld,' zegt mevrouw Van de Sande. 'Mijn voornaam is Henny en ik ben jouw nieuwe juf. Ik zou het heel leuk vinden als je naar school komt. Dan kan ik je ontmoeten. En dan zie je ook de kinderen met wie je in de groep zit. Het is erg gezellig hier. Weet je wat we vanmiddag gaan doen?'

'Nee,' zegt Ole en eigenlijk wil hij het niet weten ook.

'We gaan naar buiten, om te kijken wat er allemaal in de sloot groeit en zwemt. Heb je zin om mee te gaan?'

'Ik ben ziek,' hoest Ole.

'Dat is vervelend. Kan ik je vader bellen?'

'Ja,' zegt Ole. Daar wordt hij heus niet ineens beter van.

'Heb je het nummer van zijn werk?'

'Eh...' zegt Ole. Zal hij een nummer verzinnen?

'Ik ga hem meteen even bellen,' zegt juf Henny.

Dan komt ze er meteen achter dat het nummer vals is.

'Ik weet het niet uit mijn hoofd,' liegt Ole. Hij weet het precies uit zijn hoofd.

'Zoek het maar even op,' zegt juf Henny.

'Eh...'

'Ik wacht wel.'

Ole legt de telefoon neer. Waar zal hij eens gaan zoeken? Hoestend pakt hij een grote kartonnen verhuisdoos die naast de bank staat. Het plakband is er al af.

De doos zit vol met dvd's van Bram, maar er zitten er ook een paar van hem bij. Van sommige was hij vergeten dat hij ze had. Hij maakt er een mooie stapel van die hij naast de tv zet.

In een andere doos, die nog dicht zit, zitten de winterjassen van Bram. Ze zijn lang en zwart en als Ole ze aandoet verdwijnt hij er helemaal in.

In de zakken zit nog van alles. Een lunchbonnetje. Een hard stukje kauwgom in een papiertje. Een kammetje. Een plastic poppetje. Hoestbonbons. In één zak zitten zelfs nog drie filmkaartjes.

Onder in de doos ligt een dood motje, dat uit elkaar valt als Ole het pakt.

Ole sjouwt de stapel jassen naar de gang, omdat hij denkt dat Bram er niet blij mee is als ze in de kamer liggen. Hij legt ze over de trapleuning. Als beneden de kapstok weer hangt, zal hij alle jassen daar ophangen.

Ole loopt weer naar boven en ziet de telefoon op de bank liggen. Als hij hem weer oppakt is de mevrouw er niet meer.

'Dat is nou jammer,' zegt Ole.

Havikman vliegt over het schoolplein, waar net het speelkwartier is begonnen. Daar staat juf Henny. Ze kijkt of ze Ole al naar school ziet komen.

Zonder geluid te maken cirkelt Havikman boven juf Henny, duikt naar beneden en pikt dan snel een klein gaatje in haar hoofd. Al haar aandacht voor Ole sijpelt naar buiten, langs haar oor en zo op de grond. Ze is vergeten op wie ze staat te wachten.

Juf Henny schudt verward haar hoofd en gaat naar binnen om thee te halen.

De telefoon gaat weer.

Ole neemt op. 'Ik kan het echt niet vinden.'

'Met oma.'

Het is zo lang geleden dat hij haar gesproken heeft

dat hij vergeten is hoe lief en oud ze is.

'Dag oma.'

'Wat fijn je te horen,' zegt oma. 'Bram vertelde dat je ziek bent.'

'Mijn keel doet pijn,' zegt hij zonder te liegen. Dat komt natuurlijk van al dat nepgehoest.

'Ach jongen toch. Ik heb je gisterenochtend nog gebeld, maar toen lag je waarschijnlijk in bed.'

'Ik geloof het ook.'

'Ach lieverd.'

Hij weet niet zo goed wat hij tegen oma moet zeggen. Als hij vertelt hoeveel hij mama mist, dan gaat ze misschien huilen.

Maar als hij niks over mama zegt, dan denkt ze misschien dat hij mama vergeten is. En dat is niet waar.

'Kom je weer eens logeren?'

'Goed,' zegt Ole.

'Dat vind ik fijn.'

'Ik moet nu weer naar bed,' zegt Ole.

'Dag schat.'

'Dag oma.'

Havikman en slakmevrouw

Ole rent naar de overkant en belt aan bij Rosa. De deur gaat meteen open. Rosa staat in de deuropening met haar jas aan, tas over de schouder en paraplu in de hand.

'Hoi,' zegt Ole hijgend.

'Ik sta al uren in de gang,' zegt Rosa. 'En ik ben op van de zenuwen.'

'Sorry,' zegt Ole.

Rosa bijt op haar lip. 'Ik was ook wel een beetje vroeg. Ik wil het graag gehad hebben. Begrijp je? Ik heb er zelfs van gedroomd. Iedereen was buiten en ik liep in mijn blootje op straat. En jij, jij was in geen velden of wegen te bekennen.'

'Maar nu ben ik er,' zegt Ole.

Rosa zucht diep.

'Weet je...' zegt ze, 'ik wou dat ik een slak was.'

Ole giechelt.

'Nee serieus,' zegt Rosa. Ze tikt met de paraplu op de vloer. 'Dan neem ik mijn huis gewoon overal mee naartoe. En als er dan iets gebeurt wat ik niet leuk vind, dan kruip ik in mijn huis. Klaar. Slakken hebben het maar makkelijk.'

'Dat ziet er toch raar uit?'

'Wat?'

'Jij met een huis op je rug.'

'Je hoeft nooit meer een paraplu mee,' zegt Rosa. 'En je kunt altijd daar wonen waar je wilt. Op maandag in het bos. Op dinsdag aan zee. En als je op bezoek bent, heb je je huis bij je. Hoef je niet helemaal de stad door als de afspraak afgelopen is. Ideaal. En als je iemand ziet die je niet wilt tegenkomen, dan kruip je in je huis.'

'Wie wil je dan niet tegenkomen?'

'De buurvrouw! Ze praat zoveel. Voor je het weet sta je uren naar haar geklets te luisteren. Maar dat snap jij niet, want jij bent een kind en kinderen hoeven niet uren te luisteren naar buurvrouwen.'

'Hûh?'

'Ik wou dat ik nog een kind was.'

'O ja?' zegt Ole.

'Pfoe,' zegt Rosa. 'Het enige wat jij moet is naar school gaan.'

Ole is boos. 'Het is helemaal niet makkelijk! Ik ben te klein om iets te doen. En daarom wil ik Havikman zijn.'

Ole heeft het verklapt, terwijl niemand het mag weten.

'Havikman?'

'Havikman is een held, die iedereen redt! Die alles ziet en kan! Dat wil ik ook, want ik kan niks.'

'Je helpt mij toch?' zegt Rosa.

Ole haalt zijn schouders op.

'Sorry, ik ook altijd met mijn grote mond,' zegt Rosa. 'Zeg, die Havikman, die kan zeker vliegen?'

Ole knikt.

'Dat klinkt leuker dan een slak,' zegt Rosa. 'Misschien moet ik nog eens nadenken of ik wel een slak wil zijn.'

'Een slakmevrouw.'

Rosa grijnst.

'Kom je nog naar buiten?' vraagt Ole. 'Je staat nog steeds binnen.'

'We zijn zo leuk aan het praten,' zegt Rosa.

'Kom op.'

'Ik zie altijd een nette man wegrijden bij jullie huis,' zegt Rosa.

'Dat is mijn vader,' zegt Ole.

'Hij rijdt in een mooie auto,' zegt Rosa.

'Die is van zijn werk. Kom je nog?'

Rosa blijft staan. 'Frits niest bijna niet meer. Ik denk dat hij helemaal niet meer naar de dierenarts hoeft.'

Ole schudt zijn hoofd. 'Je bent geen slak, je bent een schijtluis.'

'Pff,' zegt Rosa. 'Ik durf heus wel. Kijk.'

Rosa haalt diep adem en zet een stap. Dan zet ze nog een stap. En nog één en nog één. Zo loopt ze snel het trapje af. Onder aan het trapje kijkt ze snel van links naar rechts of er iemand loopt, maar de straat is leeg.

'Nu naar de boom toe lopen,' zegt Ole. 'En niet rennen!'

Rosa steekt met grote stappen, maar rustig, de straat over naar de boom. Ole loopt achter haar aan.

'Goed hoor.'

Rosa houdt de boom stevig vast. Even lijkt het alsof ze in huilen uit gaat barsten. Maar dat gebeurt niet. Haar huid huilt wel. Dikke zweetdruppels lopen over haar voorhoofd.

'Het gaat hartstikke goed,' zegt Ole. 'Nu weer terug.'

Rosa gluurt om zich heen. Er is nog steeds niemand op straat. Ze laat de boom los en steekt snel de straat over. In een paar passen neemt ze de treden van het trapje en staat ze weer in de gang.

'Ik ben echt ver gegaan,' zegt ze van achter de deur.

'Je bent op straat geweest!'

Rosa glimlacht.

'Wauw.'

'Super.'

'Ik zou je binnen kunnen vragen,' zegt Rosa, 'maar het is een rommelzooi. En ik moet de was nog doen.'

Ole knikt.

'Kom je morgen weer?'

'Tuurlijk,' zegt Ole. 'We gaan tot daar.' Hij wijst naar het bankje dat halverwege de straat staat.

Rosa knippert met haar ogen. 'Da's nogal ver.'

'Jij kan alles,' zegt Ole. Eigenlijk bedoelt hij dat Rosa alles kan als hij erbij is. Hij hupt het trapje af.

'Tot morgen,' zegt Rosa. 'Zeg, Ole?'
Ole draait zich om.
'Dankjewel,' zegt Rosa ernstig.
Ole hupt fluitend naar huis.

Is Rosa ziek?

Ole stapt uit bed, trekt zijn kleren aan en loopt naar de slaapkamer van Bram. Als hij de deur opendoet, is Bram niet te zien. Hij ligt begraven onder zijn dekbed. Alleen een paar krullen komen boven het dekbed uit.

'Bram?'

Het dekbed beweegt.

'Ik ga naar buiten,' zegt Ole.

'Oew,' gaapt het dekbed.

Ole wil de deur weer dichttrekken.

'Zeg, ben jij niet ziek?'

'Niet meer,' zegt Ole.

'Ole?'

'Ja?'

'Ik ben gisteren gebeld,' zegt het dekbed streng, 'door juf Henny. En maandag ga jij naar school. Ik zal je brengen en dan zet ik je met een fietsslot vast aan je tafel. Als dat niet helpt, dan lijm ik je kont aan de stoel en als dat niet helpt... dan bedenk ik iets beters. Is dat duidelijk? Nu wil ik verder slapen, maar luister... maandag ga jij naar school!'

'Pff,' zegt Ole. Wat weet Bram nou? Hoe weet hij

nou wat goed is voor hem?

Ole rent de trap af, trekt de deur open en gooit hem heel hard achter zich dicht. Hij belt aan bij Rosa. Hij wacht, maar hoort geen sloffen en ook niet het geklik van hakken.

Ole belt nog een keer. Geen Rosa.

Hij opent de klep van de brievenbus. 'Rosa?'

Geen antwoord.

Ole denkt na. Wat hadden ze gisteren afgesproken? Dezelfde tijd, dezelfde deur. Hij had met Rosa afgesproken dat ze tot halverwege de straat zouden lopen, tot aan het bankje.

Misschien is ze niet lekker?

Hij gaat voor het raam staan. De gordijnen zijn dicht, maar die zijn altijd dicht.

Hij klopt op het raam. Niks.

Onder aan de zoldertrap ligt Rosa. Ze heeft haar been gebroken en kan niet meer bij de telefoon. Ze schreeuwt, maar de buurman is naar zijn werk, de buurvrouw is winkelen en de andere buren zijn op vakantie.

Daar komt Havikman aanvliegen. Hij heeft Rosa horen roepen met zijn super opvang-oren, die alles van kilometers ver horen.

Hij wil naar binnen vliegen, maar nergens is een raam open. De deur is niet open. Het huis zit potdicht.

Havikman tikt met zijn harde snavel tegen het glas van het badkamerraam. Het barst en valt uit elkaar.

Hij vliegt door het kapotte raam naar binnen en daar ligt Rosa op de vloer in een plas met bloed. Hij neemt haar in zijn vleugels en vliegt haar naar het ziekenhuis.

Zal Ole ook een raam breken? Stel dat Rosa bewusteloos op de vloer ligt!

Ole loopt naar het einde van de straat, de hoek om, onder het poortje door. Achter de huizen is een lange, smalle steeg waar alle tuinen op uit komen.

Ole rent door de steeg en telt de deuren. Bij deur nummer 6 stopt hij. Hij pakt de klink, maar de deur zit op slot. Gelukkig is het geen hoge deur. In de steeg staat een fiets die hij tot voor de deur sleept. Hij klimt op de bagagedrager, grijpt de bovenkant van de deur en slingert zijn ene been eroverheen.

De tuin van Rosa is geen tuin, maar een veld met brandnetels. Ole is blij dat hij een lange broek aan heeft en een T-shirt met lange mouwen. Hij springt en komt midden in de brandnetels terecht.

Als een ontdekkingsreiziger in de jungle baant hij zich een weg naar het huis. De brandnetels prikken dwars door zijn kleren heen, maar hij voelt het niet.

'Rosa!' roept hij. 'Rosa!'

De keukendeur zit op een haakje, dus hij kan zo naar binnen. De keuken is netjes en opgeruimd. Er hangen kopjes met gouden randjes aan een houten rek. Er staat een wit poedelbeeldje. En op elk bord, kopje of theelepeltje staat een plaatje van een hond of een boerderij.

In een mand half onder de tafel ligt een hond te slapen. De hond heeft witte krulletjes en kijkt niet op of om. Hij had Ole moeten horen roepen. De hond zal wel stokdoof zijn.

Ole buigt zich over de mand en prikt voorzichtig met zijn vinger in de vacht. De hond ademt niet.

'Hè, bah!'

De opgezette hond voelt hard en koud aan.

'Rosa!' Ole loopt snel de keuken uit, de donkere gang in. Links is een deur. Ole opent hem en komt in de woonkamer. Er staat een houten kast en er hangen veel schilderijen.

Op de bank, in het midden van de kamer, zit Rosa. Ze is niet gewond of ziek, maar springlevend. Op haar schoot zit Frits en allebei kijken ze met grote ogen op naar Ole.

Op het bankje

'Waarom doe je niet open?' vraagt Ole boos.

Rosa aait Frits. 'Ik durfde niet. Het gaat allemaal zo snel.'

'We hadden toch een afspraak?!'

Rosa aait Frits, die weer rustig wegzakt in haar schoot.

'Ik keek vanochtend naar buiten,' zegt Rosa. 'Het leek wel of de hele wereld op straat stond. Mijn buurvrouw liep langs. Zelfs als ze niet praat hangt haar mond open.'

'Maar ik dacht dat er iets was!' roept Ole uit.

'Het spijt me,' zegt Rosa.

'Je had toch open kunnen doen?! Voor mij?!' schreeuwt Ole.

Frits springt van schrik van schoot. Rosa staart naar de lege plek die hij achterlaat.

'Ik dacht... ik dacht dat je dood was,' snikt Ole.

De tranen glijden over zijn wangen. Hij veegt ze snel weg, want hij wil niet dat Rosa hem ziet huilen. Maar er komen steeds nieuwe, die in de sporen van de vorige glijden. En nieuwe. En nieuwe.

'Ik ga toch niet zomaar dood,' zegt Rosa geschrokken. Ze staat op en slaat een arm om Ole heen. 'Ik wist niet dat je zo zou schrikken. Ga even zitten.' Ze laat Ole op de bank zitten. 'Zal ik warme chocolademelk maken? Hou je daar van?'

Ole knikt. Hij is dol op chocolademelk. Zijn moeder maakte dat altijd voor hem. Ze dronken het vaak 's avonds als ze zaten te wachten tot Bram thuiskwam van zijn werk.

Rosa loopt naar de keuken. Frits hipt naar Ole toe en snuffelt aan zijn broek.

'Niet huilen,' zegt Ole tegen zichzelf. Hij droogt zijn gezicht af aan zijn T-shirt.

Rosa staat in de deuropening en houdt een kopje omhoog. 'Kun je hier uit drinken?'

Wat een rare vraag, denkt Ole. 'Tuurlijk.'

Rosa verdwijnt weer. Ze maakt een hoop herrie in de keuken. Kopjes rinkelen en er valt iets op de grond.

'Sorry!' roept Rosa.

Op de bank ligt een kaart. Op de voorkant staat een poes met een mand viooltjes in zijn poten en eronder staat: *thinking of you.*

Eigenlijk mag het niet, maar Ole doet het toch. Hij leest de achterkant. *Mama, we missen je vreselijk. Het is heel warm hier en Jesse is ziek geweest, maar nu weer beter. Liefs, Violet, Jared en de kinderen.*

Rosa komt terug met een kopje in haar hand. Ole legt de kaart snel terug.

'Je hoeft geen schoteltje, hè? Als het niet zoet genoeg is, dan haal ik suiker.' Rosa geeft het kopje aan Ole en gaat naast hem op de bank zitten.

Ole kijkt naar de kippen die op het kopje staan.

'Het spijt me,' zegt Rosa.

'Het is alweer over,' zegt Ole.

'Ik wilde je niet laten schrikken.'

'Geeft niks,' zegt Ole. 'Laten we gaan.' En hij klokt het kopje in één keer achterover. De chocolademelk brandt een weg van zijn keel naar zijn maag.

Rosa trekt haar wenkbrauwen op. 'Het is heet.'

Ole zet het kopje op een bijzettafel. 'Kom je?'

'Gaat het weer?'

'Ja.'

Tegelijk staan ze op en lopen ze naar de voordeur. Rosa trekt haar jas aan en pakt haar tas terwijl Ole de deur opent.

Er komt een vrouw voorbij met een wandelwagen. Rosa gaat meteen achter de deur staan.

'Oe, wat is het druk,' zegt ze.

'Ze is zo weg,' zegt Ole.

Maar om de hoek komt een man aanlopen. In zijn ene hand houdt hij een boodschappentas. Die is zo zwaar dat de man schuin loopt en maar langzaam vooruit komt. Het duurt een tijdje voordat hij voorbij is.

Een fietser fietst langs. Hij fluit.

'Ik ga pas als iedereen weg is,' zegt Rosa.

'Misschien moeten we 's nachts oefenen,' zegt Ole. 'Dan is er niemand op straat.'

'Goed idee,' zegt Rosa.

'Grapje,' zegt Ole streng.

'Ik vond het slim bedacht,' moppert Rosa. 'Dat lijkt me fijn, zo in het donker. Als iedereen de gordijnen dicht heeft en televisie kijkt.'

Rosa komt naast Ole op de drempel staan. Dan recht ze haar rug en loopt ze het trapje af. Als ze op straat staat, kijkt ze naar links en naar rechts en loopt naar de boom.

'Heel goed!' zegt Ole. Hij loopt ook het trapje af, maar in plaats van naar de boom te lopen gaat hij de straat in.

'Wacht!' roept Rosa. 'Laat me niet alleen.'

Snel kijkt ze naar haar huis en dan naar Ole. Ole is dichterbij. In twee grote stappen staat ze naast hem. Ze geeft hem een arm en drukt zich stevig tegen hem aan.

'Zo.'

Samen lopen ze naar het bankje. Rosa wil zich meteen omdraaien, maar Ole houdt haar tegen.

'Even zitten,' zegt hij.

'Dat was niet de afspraak,' zegt Rosa.

'Ik bedenk het net,' zegt Ole. 'Anders moet je helemaal alleen terug.'

'Bah, wat gemeen,' mompelt Rosa. Ze gaat op het puntje van het bankje zitten.

Ole kijkt om zich heen en Rosa kijkt strak voor zich uit.

'Zie je die merel in de boom?' vraagt Ole. Hij wijst omhoog naar de merel die een nest bouwt in de boom. De merel laat een veer vallen. Hij is lang, wit en donzig en wiegend valt hij naar beneden. Ole volgt hem met zijn ogen.

Maar Rosa kijkt niet. 'Ik mis Frits,' zegt ze.

'We zijn zo weer thuis,' zegt Ole.

'Mijn man, bedoel ik. Die heette ook Frits.'

'Dat is raar.'

'Jouw cavia heette toch ook hetzelfde als je beste vriend?'

Rosa heeft gelijk. Dat kan best.

'Frits was lief. Ik wandelde vaak naar zijn werk om hem op te halen aan het eind van de dag. Hij omhelsde me en legde zijn hoofd tegen me aan. Dan voelde ik zijn wimpers in mijn nek kriebelen. Hij heeft hele lange wimpers. Voor een man.'

Ole bijt op een haakje aan zijn nagel.

'Het voelt leeg zonder hem. En dat is niet aardig van me, want ik zit hier met jou.'

Maar Ole snapt het heel goed.

'Als ik je verveel met mijn gepraat, dan moet je het zeggen,' zegt Rosa.

'Nee hoor, maar we moeten nog terug.' Ole staat op.

'Ja!' Rosa gaat snel staan. Ze kijkt naar links en naar rechts, maar er is niemand te zien. Rosa rent zo snel naar huis, dat haar voeten de stoep amper raken. Het bijna is alsof ze vliegt. Ole rent achter haar aan.

'Het is alsof je met een elastiek aan je huis vastzit,' hijgt hij als ze weer bij nummer 6 staan.

'Ik ben een echte slakmevrouw. Ik hou van mijn huis. Als ik ga wandelen, strek ik me eigenlijk alleen maar uit.' Rosa grijnst.

'Je deed het hartstikke goed,' zegt Ole. 'Morgen gaan we...'

'Vertel maar niet,' zegt Rosa. 'Dan maak ik me daar de hele avond druk over.'

'Oké,' zegt Ole.

'Ik sta klaar in de gang. Dus je hoeft me morgen niet via de tuin op te halen.' Rosa geeft Ole een knipoog.

'Weer langs die opgezette hond.'

'Ha!' zegt Rosa, 'die doet niks, want die is dood.'

'Ik bel liever aan. Tot morgen.'

'Tot morgen.'

Patat

Ole komt binnen. In de woonkamer zit Bram met zijn laptop op schoot.

'Gaan we iets leuks doen?'

'Waar was je al die tijd?' vraagt Bram.

'Gewoon,' zegt Ole. 'Buiten.'

'In je eentje?'

'Gaan we iets leuks doen?'

'Was je in je eentje?' vraagt Bram.

'Nee. Gaan we iets leuks doen?'

'En je bent ineens weer beter? Nu het weekend is?'

'Ik heb aardbeien gegeten gisteren, en een appel. Gaan we iets leuks doen?'

'Ik moet dit afmaken,' zegt Bram.

'Je bent altijd aan het werk,' zegt Ole.

'Anders heb jij niks te eten,' zegt Bram. 'Heb je alle dozen al uitgepakt? Heb je oma al gebeld?'

'Oma heeft mij gebeld. Jij bent altijd weg.'

'Sst,' zegt Bram.

Ole stampt de woonkamer uit en loopt naar beneden, naar de keuken. Hij zoekt koekjes, maar de koekjestrommel staat niet in één van de kasten.

'Zit zeker nog in een doos,' mompelt Ole.

Hij kijkt in de koelkast. Misschien staat daar iets lekkers. Als hij de doos met eieren ziet, krijgt hij een idee. Het is eigenlijk een idee van Pim. Pim wilde een keer een ei koken in de magnetron en dat ging anders dan hij verwachtte.

Ole legt een ei in de magnetron en zet de klok op een minuut. Eerst gebeurt er niks. Het ei draait rustig rond en de magnetron zoemt.

Bam!

Het ei ploft in wel duizend stukjes uit elkaar.

Ole lacht. Het is net een bommetje.

Hij legt er nog een ei in. Dit keer weet hij wat er gebeuren gaat, maar het blijft spannend.

Bam! Ook dit ei ontploft.

De hele magnetron zit onder de stukjes gekookt ei.

Ole doet er twee eieren in.

Bam! Bam! Ze ploffen net niet tegelijkertijd.

De magnetron ziet er niet uit. De binnenkant zit van onder tot boven onder de stukjes geel en wit ei. Ole legt er weer twee eieren in. Cadeautje voor Bram.

Als de doos eieren leeg is loopt hij weer naar boven. Bram zit nog steeds in de woonkamer. Hij zit met zijn gezicht in zijn handen en tuurt naar het scherm.

'Wat eten we?' vraagt Ole.

Bram kijkt op. 'Zal ik chinees halen?'

'Ik kan geen chinees meer zien.'

'Ik ook niet. Poe... Ik kan een omelet bakken.'

'Eh...' zegt Ole, 'de eieren zijn op. Dan moeten we naar de supermarkt.'

'Pff.' Bram doet zijn laptop dicht.

'Patat halen? Dat hebben we al lang niet meer gegeten.' Ole is dol op patat.

Bram lacht. 'Weet jij waar een snackbar is?'

'Nee,' zegt Ole.

'Dan moesten we maar eens wat gaan rondfietsen.' Bram staat op.

'Gaan we toch iets leuks doen,' zegt Ole. 'Mama hield van patat.'

'Ik heb haar een keer betrapt,' zegt Bram. 'Stond ze 's nachts patat te bakken. Een hele zak in haar eentje met een enorme klodder mayonaise eroverheen.'

'Echt waar?' vraagt Ole.

'Toen was ze zwanger van jou.'

'Daarom hou ik zo van patat.'

Bram lacht.

Ole lacht ook.

Een zondagse wandeling

Ole komt de keuken binnen. Aan tafel zit Bram achter zijn laptop.

'Goedemorgen.'

'Goedemorgen.'

'Ik ben even buiten,' zegt Ole.

'Waar ga jij naartoe?'

Ole haalt zijn schouders op. 'Gewoon.'

'Heb je een vriendinnetje?'

'Haha,' zegt Ole.

'Als je terugkomt, wil je dan de magnetron schoonmaken? Hij zit vol ei.' Bram houdt zijn mok omhoog. Ole pakt hem aan en hij schenkt koffie in, zonder melk en zonder suiker.

'Ik denk dat ik daar wel tijd voor heb.'

'Dat denk ik ook.'

'Wat doe je?' Ole buigt zich over de laptop. Op het scherm staat een grafiek vol cijfers.

Bram zucht. 'Werk.'

'Is het leuk?'

'Het is werk,' zegt Bram.

'Leuk werk?'

'Werk dat morgen af moet.'

'Oh, nou... doei.'
'Doei,' zegt Bram.
Ole opent de deur. Het is heerlijk weer. Zonnig met een fris briesje.
Hij steekt de straat over en belt aan bij Rosa. Het duurt even, maar dan gaat de deur open.
'Hallo,' zegt Rosa. Ze staat in de gang met haar jas aan. Aan haar linkerschouder hangt haar tas en in haar rechterhand houdt ze haar paraplu.
'Mag ik eens kijken,' vraagt Ole. Hij steekt zijn hand uit naar de paraplu. Rosa geeft hem. De plu heeft een eendenkop als handvat. Het is net of de eend naar hem knipoogt, want zijn ene oog is dicht en het andere is open.
'Mooi,' zegt Ole en hij legt hem in de gang. Rosa bukt zich om hem te pakken.
'Het gaat niet regenen,' zegt Ole.
'Weet je dat zeker?' vraagt Rosa.
'Kijk maar.'
Rosa komt naast Ole op de drempel staan. Ze kijken omhoog. De zon schijnt en er is geen wolkje te zien.
'Vandaar dat er zoveel mensen op straat zijn,' mompelt Rosa.
In de verte wandelt een stel en aan de overkant een man met een hond. Een jongen komt voorbij op skeelers en twee meisjes lopen hem giechelend achterna.
'Vandaag gaan we tot de hoek,' wijst Ole.
'Oké,' zegt Rosa. Ze heeft het gezicht van een

poepende kat die een hond ziet aankomen.

Samen lopen ze de trap af. Op de stoep geeft Rosa Ole een arm. Stijfjes lopen ze over straat. Als ze bij het bankje zijn aangekomen, komt van de andere kant de dierenarts aanwandelen. Hij is samen met een oude hond aan het wandelen.

'O nee,' zegt Rosa. Ze knijpt Ole in zijn arm.

'Au,' zegt Ole. 'Ken je Spico?'

'Sst,' sist Rosa.

De dierenarts stopt als hij Ole ziet. 'Dag jongeman van het konijn.'

'Hallo,' zegt Ole.

Rosa graaft in haar handtas zodat haar gezicht niet te zien is.

'Rosa, dit is Spico,' zegt Ole. 'Spico, dit is Rosa.'

'Hallo,' zegt Spico.

'Hm,' mompelt Rosa.

'Rosa is van Frits,' zegt Ole.

'Ah, het verkouden konijn heet Frits,' zegt Spico. 'Het is een mooi konijn. Gaat het alweer beter met hem?'

'Veel beter,' zegt Ole.

Spico buigt zich naar Rosa toe en kijkt haar onderzoekend aan. 'Hadden jullie vroeger niet een hond? Een poedel?' vraagt hij.

'We moeten verder,' zegt Rosa. Ze sleurt Ole mee.

'De groeten aan Frits!' roept de dierenarts hen na.

'Vind je hem niet aardig?' vraagt Ole.

'Ik kan toch niet stilstaan op straat en met iemand praten,' sist Rosa. 'Wat moest ik dan zeggen?'

'Dingen over Frits. Of over de poedel. Hoe heette die poedel eigenlijk?'

'Dolly,' zegt Rosa en ze zet er flink de pas in. Bij de hoek aangekomen draaien ze zich om.

'Zo, op de helft,' zegt Rosa. 'Ik vind het al minder eng.'

'Je zweet wel,' zegt Ole.

'Fijn dat je het even zegt,' zegt Rosa en ze graait in haar handtas naar haar zakdoek.

'Graag gedaan.'

De buurvrouw

'Rosalida!'

Er komt een vrouw op Ole en Rosa af hollen. Haar lichaam lijkt een pudding, alles trilt en schudt. Hijgend stopt ze voor Rosa en glimlacht breed. 'Rosalida!' Ze omhelst Rosa.

Rosa kucht.

'Wat leuk je weer te zien,' zegt de vrouw.

Rosa stopt haar zakdoek terug in haar handtas. 'Dit is mijn buurvrouw,' zegt ze tegen Ole.

De vrouw lacht. 'Ex-buurvrouw. Rosa is vier jaar geleden verhuisd.'

'Verhuisd?' Rosa kijkt verbaasd naar haar buurvrouw.

'Ja, na die vreselijke scheiding met je man was je ineens weg. Ik weet niet wie er nu woont. De gordijnen zijn altijd dicht.'

'O,' zegt Rosa.

'Ben je hier op bezoek? Is dit een kleinzoon?' De buurvrouw buigt zich voorover. 'Ik wil alles weten, hoor.'

'Nee,' zegt Rosa. 'Ik eh... ben nooit verhuisd.'

'Nee?' vraagt de buurvrouw.

'Ik eh...' zegt Rosa. 'Ik heb een tijdje bij mijn dochter gewoond.' Ze kijkt Ole even snel aan en ziet dat hij grijnst. 'En nu ben ik weer terug in Nederland. Dit huis heb ik al die tijd aangehouden. De politie zei dat ik de gordijnen beter dicht kon houden, anders zien ze dat er niemand thuis is.'

Rosa pakt haar zakdoek weer uit haar tas en veegt het zweet van haar voorhoofd.

'Jeetje, wat een verhaal,' zegt de buurvrouw met grote ogen.

'En ik ben Ole,' zegt Ole. 'Ik woon sinds kort aan de overkant.'

'Op nummer 5?' roept de buurvrouw uit. 'Bij die man met die mooie krullen? Wat leuk! Hoe ziet het er nu bij jou uit, Rosa?'

'Net als vroeger eigenlijk,' zegt Rosa. 'Ik heb niks veranderd.'

'Ze heeft een nieuwe Frits,' zegt Ole.

Rosa knijpt hard in zijn arm.

'Au,' zegt Ole.

'Dan kom ik morgen even langs,' zegt de buurvrouw.

'Ik heb het heel druk,' zegt Rosa. 'Met van alles, eigenlijk.'

'Ik ook! Wat wil je, met zeven kleinkinderen! Ik zal je de foto's laten zien. Weet je, ik probeer het gewoon,' zegt de buurvrouw. 'En dan zie ik wel of je tijd hebt. Gaan we lekker in de tuin zitten, zoals vroeger.'

'Wat een goed idee,' zegt Ole.

'Een heel goed idee. Je ziet wat bleek, Rosalida. Je kan wel wat zon gebruiken.' De buurvrouw lacht. 'Maar je mag niet meer zomaar verdwijnen hoor!' De buurvrouw knijpt Rosa in haar arm.

'Au,' mompelt Rosa.

'Dat is dan afgesproken,' zegt de buurvrouw. 'Ga ik nu naar mijn afspraak. Ik zit bij een leesclub. Anders kom ik niet eens aan een boek toe. Tot morgen.' De buurvrouw loopt schommelend verder.

'Wat moet ik nu?' sist Rosa.

'Gewoon. Koffiedrinken. Of thee.'

'Pff,' zucht Rosa. 'Ik zou niet meer weten hoe dat moest.'

Havikman belt aan en Rosa laat hem binnen.

'Wat nu?' vraagt Rosa zenuwachtig.

'Wat deed je vroeger?' vraagt Havikman.

O ja, nu weet Rosa het weer. Eerst neem je de jas aan van de gast. Als er dan veel mensen op bezoek kwamen, dan stond je met een berg jassen in de gang.

Rosa wil de cape afdoen bij Havikman, maar Havikman doet snel een stapje achteruit.

'Zonder cape kan ik niet vliegen,' zegt hij.

Dat wist Rosa niet. Ze nodigt hem uit verder te komen.

'Wat is het hier gezellig,' zegt Havikman beleefd als hij de woonkamer binnenstapt. Hij gaat op de bank zitten.

Rosa ijsbeert heen en weer. 'Waar moeten we over praten?'

'Je vraagt eerst of ik wat wil drinken.'

'O ja!' zegt Rosa. 'Wil je koffie?'

Havikman ziet dat de koffie al klaarstaat op een dienblad op tafel.

'Koffie is goed.'

Trillend schenkt Rosa koffie in.

'Geen melk, geen suiker alsjeblieft,' zegt Havikman als Rosa hem een kopje voorhoudt.

'O! Helemaal vergeten te vragen. Ik kan het niet!' roept Rosa uit. Ze ploft op de bank. De koffie gutst over de rand van Havikmans kopje.

'Boehoe,' huilt Rosa.

Havikman legt troostend zijn vleugel op haar schouder.

'Ole?'

Rosa en Havikman verdwijnen en de straat komt weer tevoorschijn.

Rosa staat voor hem met haar handen in haar zij. 'Ik wil niet stil blijven staan, hoor. Zullen we weer verder?'

Ze lopen weer.

'Heb jij echt vier jaar in huis gezeten?' vraagt Ole. Hij moet grote passen doen om Rosa bij te houden.

Rosa knikt.

'Wat deed je dan de hele dag?' vraagt Ole.

'Gewoon,' zegt Rosa en ze haalt haar schouders op. 'Het ging vanzelf, weet je. Ik wilde niet steeds vertellen van de scheiding, daarom ging ik minder naar buiten. Bang om mensen tegen te komen. Ik kwam er achter dat je je boodschappen ook kunt laten bezorgen. De huisarts komt ook langs als je ziek bent. Brieven schreef ik niet, want dan moest ik postzegels halen en naar de brievenbus. Ik telefoneer wel, met mijn dochters. Voor je het weet kom je je huis niet meer uit.'

'Wat naar,' zegt Ole.

'Het went. En ik heb Frits toch?'

'Daar kun je niet mee praten.'

'Jawel hoor. Hij gaat in de keuken zitten als ik de afwas doe en dan vertel ik hem alles.'

'Maar hij zegt niks terug,' zegt Ole.

'Dat is ook wel lekker. Hij praat niet door een tv-programma heen,' zegt Rosa. Ze zijn terug bij nummer 6. 'En nu ga ik naar binnen, want ik heb hem een hoop te vertellen over vandaag.' Ze opent de deur en gaat naar binnen.

'We moeten ook oefenen met op bezoek gaan,' zegt Ole.

'Misschien,' zegt Rosa en ze doet de deur dicht.

'Dag Rosa.'

'Dag Ole,' klinkt het van achter de deur.

Betrapt

Ole ligt onder zijn dekbed. Het is een warm holletje voor hem alleen, en zijn dromen. De nare schopt hij eruit en de fijne bewaart hij.

Een fijne droom is dat hij over de stad vliegt en mensen uit brandende huizen redt.

Zijn kamerdeur zwaait open. 'Tijd om op te staan. Tijd om naar school te gaan. Het rijmt nog ook.'

Ole kruipt uit zijn warme holletje en komt onder zijn dekbed vandaan.

'Goedemorgen,' zegt Bram. Hij zet Oles schooltas naast het bureau en hij trekt de gordijnen open. 'Ik heb al boterhammen gesmeerd en een appel in je tas gestopt. Hup!' Hij strikt zijn stropdas en kijkt toe hoe Ole langzaam uit bed stapt.

'Dat kan best sneller,' zegt Bram.

'Oew,' gaapt Ole. Hij trekt zijn pyjama uit en doet de kleren aan die klaarliggen.

'Waar is je jas?' vraagt Bram.

'O, die ligt in de woonkamer. Denk ik.'

'Ik ga, want ik ben bijna te laat,' zegt Bram. Hij kust Ole op zijn wang. 'Veel plezier op school. Sluit jij af? En pak nog maar iets lekkers.'

'Dag pap. Tot vanavond.'

Bram sprint naar beneden. De voordeur gaat open en valt weer in het slot.

Ole loopt naar beneden zonder zijn schooltas.

Ik moet niet vergeten straks het brood en de appel weg te gooien, denkt hij.

Hij opent de voordeur. Het is maandagochtend en de straat is leeg. Op Ole na zitten alle kinderen op school en alle ouders zijn naar hun werk. Alleen een kat zit onder een boom te kijken naar de merels die boven hem hun nest inrichten.

Hij belt aan bij Rosa, die meteen opendoet. Ze heeft haar jas al aan en haar tas bij zich. 'Mijn paraplu laat ik thuis. En de buskaart heb ik weggegooid. Goed, hè?'

'Heel goed,' zegt Ole.

'Wat heerlijk rustig,' zegt Rosa als ze naar buiten kijkt. Ze huppelt het trapje af, blij als een jong hondje.

'Vorige week vond je dit nog eng,' zegt Ole.

'Vorige week! Dat is lang geleden!'

Ole grijnst.

'Waar gaan we vandaag naartoe, meneer?'

'Tot aan het huis van de dierenarts, mevrouw.'

'Vooruit,' zegt Rosa, 'maar dan wil ik wel een arm.'

Ole geeft haar een arm. Deftig lopen ze naast elkaar op straat.

'Wat een heerlijk weer, meneer.'

'U zweet niet eens, mevrouw.'

'Fijn dat meneer het even zegt.' Rosa grijnst.

Ze passeren het bankje en lopen door naar de hoek van de straat. Daar staan ze stil.

'De andere straat. U bent toch niet bang, mevrouw?'

Rosa pakt Oles arm stevig beet. Ze lopen de andere straat in.

'Wat ben ik hier lang niet geweest,' zegt Rosa. 'Er is niet veel veranderd. De bomen zijn groter. De huizen zijn nog hetzelfde. Er staan nieuwere auto's.'

Rosa staart in de verte. Ole ziet dat ze niet langer naar de straat kijkt zoals hij is, maar dat ze de straat ziet zoals hij was. Ze denkt aan vroeger.

'Zullen we verder lopen?'

'Goed, meneer.'

Ze lopen naar het huis met de groene deur. Het huis van de dierenarts.

'Gefeliciteerd,' zegt Ole. 'U bent geslaagd voor de test.' Hij maakt een diepe buiging.

'Hihi,' zegt Rosa.

Ze draaien zich tegelijkertijd om en daar staat Bram. Zijn gezicht ziet eruit als een zware storm vol donkere wolken.

Havikman cirkelt boven de stad. Ole zwaait naar hem.

'Help!' schreeuwt hij. 'Havikman!'

In de verte klinkt een sirene. Havikman vliegt weg.

'Waarom zit jij niet op school?!'

Voor Ole kan antwoorden, kijkt Bram Rosa aan. 'En wie bent u? Wat doen jullie hier op straat?!'

'Eh...' zegt Rosa. Ze staart naar de grond.

Brams ogen flitsen als bliksemschichten van Ole naar Rosa. Hij opent zijn mond en de donder valt naar buiten. 'Verdomme Ole. Waar ben je in godsnaam mee bezig?!'

Ole heeft zijn vader nog nooit horen vloeken. Hij gaat een beetje achter Rosa staan.

'Ole,' fluistert Rosa, 'ik dacht dat je vrij was!'

'En maar liegen! Ook tegen vreemden!' dondert Bram. Hij pakt Ole bij zijn arm. 'Naar huis. Er staat jou nog het een en ander te wachten.' Bram trekt hem mee de straat over.

Ole kijkt achterom. 'Dag Rosa.'

Koude pizza

Ole en Bram zitten aan de keukentafel. Het is avond en Ole mag even van zijn kamer komen om te eten. Er staan twee dampende pizza's op tafel.

'Lekker,' zegt Ole. Hij prikt met zijn vork in de pizza, maar eigenlijk heeft hij helemaal geen honger.

Bram snijdt zijn pizza in acht stukken.

'Er zit echt veel kaas op,' zegt Ole. 'Zoveel kaas heb ik nog nooit gezien op een pizza.'

Bram zegt niks. Hij steekt een stuk pizza in zijn mond en kauwt erop alsof het kauwgom is.

Ole prikt een plakje salami op zijn vork en legt het op een andere plek. Zo is het net een blozende wang. Hij legt er een ander plakje naast en nu zijn het twee wangen. Van de rode paprika maakt hij twee wenkbrauwen en van de kappertjes maakt hij ogen. De slierten kaas worden een lachende mond en de gele paprika wordt wuivend haar.

'Kijk!' Ole houdt zijn bord omhoog zodat Bram kan zien wat hij gemaakt heeft.

Maar Bram kijkt niet en kauwt traag door. Hij strooit wat extra zout over zijn pizza.

Ole laat zijn bord weer zakken. Het liefst zou hij de pizza ook nog willen laten praten, maar Bram lijkt niet in de stemming.

'Ik heb geloof ik toch geen honger,' zegt Ole en hij schuift zijn pizza weg. 'Ik ga weer naar boven, is dat goed?'

Bram schudt zijn hoofd. 'Je eet je bord leeg en daarna maak je de magnetron schoon. En die raamdwergen en die shampoo gaan weer terug naar waar ze vandaan komen.'

'Het was een cadeau voor jou!'

'Dan betaal je het zelf. En dat kost je zeker een jaar zakgeld.'

Bram heeft zijn pizza op. Hij staat op, zet zijn bord weg en loopt de keuken uit.

'Sorry,' zegt Ole.

Bram klost naar boven en gaat de woonkamer binnen.

'Sorry!'

Ole kijkt naar het pizzagezicht dat blij lacht.

Bram zit voor de televisie. Voor het raam vliegt Havikman voorbij met een groot spandoek achter zich aan.

Ole heeft spijt. *Dat staat er in grote rode letters op.*

Havikman vliegt meerdere keren langs het raam van Bram, maar Bram staart voor zich uit.

Havikman suist de keuken binnen, waar Ole achter zijn pizza zit.

'Ik geloof niet dat hij het gezien heeft, Ole.'
Ole zucht.
'Lust jij pizza?'
Havikman schudt van nee en suist weer weg.

Ole neemt een hap van zijn pizza. Hij is koud. Ole staat op en gooit de pizza in de afvalbak. Hij schuift de pizzadoos eroverheen, zodat Bram niet ziet dat hij hem niet opgegeten heeft.

Thee met beschuiten

'Ole! Opstaan.'

Het is ochtend. Ole hoort Bram rommelen in de keuken.

Opstaan? Dat moet dan maar. Met armen en benen van lood stapt Ole uit bed. Langzaam kleedt hij zich aan.

In de keuken staat Bram met een theepot in zijn hand.

'Wat doe je?' vraagt Ole.

'Ik zet thee.'

'Moet je niet naar je werk?'

Bram pakt de waterkoker en giet het hete water in de pot. 'Waar zijn de theezakjes ook alweer?'

'Daaronder.' Ole wijst. 'Ben je ziek?'

'Nee,' zegt Bram.

Bram zet de theepot op tafel. 'Blijkbaar ben ik niet genoeg thuis.' Hij kijkt Ole verdrietig aan. 'Ik ben erg geschrokken gisteren. Ik was kwaad, maar vooral kwaad op mezelf. Ik had jou niet zo alleen moeten laten.'

Hij opent een rol beschuiten, doet ze in de beschuitbus en zet die op tafel. 'Dit is wel een echt ontbijt toch? Thee en beschuiten?'

'Met jam en kaas,' zegt Ole. Het liefst allebei tegelijk.

Bram kijkt in de koelkast. 'Er is alleen nog brie.'

'De jam staat bij de theezakjes.'

Ole kijkt naar de vogels die op de beschuitbus vliegen. Wat hebben vogels eigenlijk met beschuiten te maken?

'Morgen komt oma,' zegt Bram hol. Hij zit op zijn knieën op de vloer en met zijn hoofd in het aanrechtkastje. 'We moeten voor die tijd nog even boodschappen doen. Er is niks meer.'

'Er zijn aardbeien. En peren en appels.'

Bram lacht naar Ole. 'Fruit hebben we genoeg.'

Ole lacht terug.

'Zal ik voor jou een lekkere beschuit met aardbeien en suiker maken?' vraagt Bram.

Ole knikt. Hij heeft reuze honger, omdat hij gisteren niks gegeten heeft.

'Ik snap best dat het eng is om naar school te gaan,' zegt Bram en hij gaat aan tafel zitten. 'Allemaal nieuwe kinderen, die elkaar al kennen. Maar het gaat vast goed. Jij bent een hele leuke knul.'

Ole schudt zijn hoofd. 'Je snapt het niet.'

'Wat niet?' Bram breekt per ongeluk een beschuit en pakt een nieuwe.

'Je hebt alles van mama weggedaan. Of in dozen gestopt.'

'Wat moet ik er dan mee?' vraagt Bram.

'Straks vergeet je haar. Jij hebt al haar jurken gewassen en nu weet ik niet meer hoe ze rook.'

'Dat heeft oma gedaan,' mompelt Bram.

Ole wipt zijn ontbijtbord op en neer.

Havikman zit op het keukenkrukje. Hij knikt Ole toe.

'Ik wil niet dat ze dood is.'

Bram stopt met smeren en staart naast het kuipje margarine. Ole bijt op zijn tong.

De bel gaat. Bram staat meteen op en loopt de keuken uit. Hij doet de voordeur open. Op de stoep staat Rosa. Ze lacht verlegen maar houdt haar handtas stevig in beide handen geklemd.

'Daag.'

'Hoi,' zegt Bram.

'Mag ik even binnenkomen?' vraagt Rosa zacht.

Bram knikt. Ze schudden elkaar de hand.

'Rosalida Wegerschee.'

'Bram van Voren.'

'Ik wil mijn verontschuldigingen aanbieden voor gisteren,' zegt Rosa.

Bram knikt. 'Kopje thee?'

'Graag.'

Bram laat Rosa binnen en wijst haar de keuken. Rosa stapt voorzichtig over de drempel, terwijl haar ogen Ole zoeken. Ole zit half achter de beschuitbus.

'Dag Ole.'

'Hoi.'

Ze gaat op het keukenkrukje, boven op Havikman zitten.

'Hé!' roept Havikman en hij fladdert de keuken uit.

Bram schenkt thee in.

'Ole heeft me geholpen. Ik moest naar de dierenarts, maar ik kon niet. Als ik geweten had dat hij spijbelde, dan had ik hem natuurlijk niet laten gaan. Ik dacht dat hij vakantie had.' Rosa wordt rood.

Bram kijkt Ole aan. En dan kijkt hij naar Rosa. 'Het is heel goed dat hij u geholpen heeft, maar nu moet hij weer naar school.'

Bram snijdt de aardbeien op de beschuit en strooit er suiker over. Rosa friemelt met haar theekopje en Ole zakt steeds meer onderuit op zijn stoel.

'Snel eten,' zegt Bram als hij de beschuit op het bord naar Ole toe schuift. 'Anders komen we nog te laat.' Hij kijkt op zijn horloge.

'Misschien kan ik helpen?' vraagt Rosa.

Bram fronst zijn wenkbrauwen.

'Ik kan Ole naar school brengen.'

Ole kijkt haar verbaasd aan. Zou Rosa dat durven?

'Ik moet toch die kant op.'

'Ik heb Ole al eens eerder gebracht, mevrouw,' zegt Bram, 'en hij loopt er zo aan de achterkant weer uit, hoor.'

'Dat zal mij niet overkomen,' zegt Rosa. 'Die

trucjes ken ik wel.'

'Eh... Ik ken u eigenlijk niet,' zegt Bram.

'Rosa is onze buurvrouw,' zegt Ole.

Bram woelt met zijn handen door zijn krullen. 'Eh... het zou wel handig zijn. Ga je dan echt naar school, Ole?'

Ole knikt. 'Misschien durf ik met Rosa wel.'

'Nee, niet misschien,' zegt Bram. 'Echt.'

'Ik zal zorgen dat hij naar school gaat en daar blijft.' Rosa glimlacht naar Bram.

'U moet vanmiddag maar even langskomen,' zegt Bram. 'Ik wil weten met wie Ole omgaat.'

Rosa knikt. 'Ik kom vanmiddag nog weer langs. Kom Ole, we gaan.'

Ole propt een halve beschuit in zijn mond en staat op. Hij geeft zijn vader een kus. 'Dag pap.'

Bram slaat zijn armen om Ole heen. 'Dag kereltje.'

'Dag,' zegt Rosa tegen Bram.

'Tot ziens,' zegt Bram. 'Ole, vergeet je tas niet. Die staat in de gang.'

Ole gaat naar school

'Durf je dat?' vraagt Ole als ze buiten staan. 'De school is een paar straten verder.'

Rosa haalt haar schouders op. 'Het moet. Jij gaat naar school, dus ik moet straks alleen met Frits naar de dierenarts.'

'Als ik niet naar school...'

Rosa schudt haar hoofd.

Ole bukt. Bram staat voor het keukenraam en gebaart dat ze op moeten schieten. Ole zwaait en Bram zwaait terug.

'Deze kant op, toch?' vraagt Rosa.

Ole komt naast haar lopen.

'Daar oversteken,' zegt hij en wijst.

'Wat is er nou allemaal aan de hand?' vraagt Rosa.

Ole loopt stug door.

'Kom,' zegt Rosa, 'ik heb jou ook alles verteld.'

Dat is waar.

'Mijn moeder is dood,' zegt hij.

Rosa kijkt hem met grote ogen aan.

'Ze ging op de fiets naar de markt. Toen is ze onder een auto gekomen. Ze was ineens weg. Cara heet ze.'

'Wat vreselijk,' zegt Rosa.

'Ze moest heel vaak giechelen en dan ging Bram ook lachen. Bram is anders zonder haar.'

Rosa knikt. 'Toen Frits er was, mijn man Frits, was ik niet bang. We hadden het heel gezellig en toen hij weg was, werd alles ineens anders.'

'Dat wil ik niet.'

'Het is al gebeurd.'

Ze staan voor het hek van basisschool De Flipper.

'Weet je waarom ik niet naar school wil?'

'Nee?'

'Ik vergeet haar als ik naar school ga. Dat wil ik niet.'

'Denk je dat?'

'Dan kom ik in een nieuwe klas waar niemand haar kent. Dan is het net alsof ze er nooit is geweest. Dat kan niet. Dan kan ik beter thuisblijven.'

Rosa slaat een arm om Ole heen. 'Wij denken dat we niet zonder huis kunnen. Dat we slakmensen zijn, maar dat is helemaal niet zo. Ik ben zo blij dat ik weer de straat op durf. En ik weet zeker dat je het heel leuk vindt op school. Je wilt toch geen slakjongen worden?'

Op het hek zit Havikman op zijn verenkont. Zijn rode cape wappert in de wind terwijl hij met zijn benen wiebelt.

'Kom op, Ole. Jij bent toch geen slak?'

'Oké.'

Rosa geeft Ole een knuffel. 'Je bent hartstikke dapper, weet je dat?'

Ole haalt zijn schouders op.

'Dapper maar bescheiden.'

Rosa geeft Ole een duwtje. Ole loopt door het hek het schoolplein op. Hij draait zich om. 'Kom je me van school halen?!'

'Ja!' roept Rosa.

'Als er geen brand is!' roept Havikman.

'Tot straks!'

'Tot straks!'

Uitgeverij Querido stelt alles in het werk om op milieuvriendelijke en duurzame wijze met natuurlijke bronnen om te gaan. Bij de productie van dit boek is gebruikgemaakt van papier dat het keurmerk van de Forest Stewardship Council (FSC) mag dragen. Bij dit papier is het zeker dat de productie niet tot bosvernietiging heeft geleid.